増補改訂版

「日本語能力試験」対策

日本語総まとめ N2

NIHONGO SO-MATOME

佐々木仁子　松本紀子

読解

どっかい

|読解|Reading Comprehension|阅读理解|독해|

ask

はじめに

この本は
▶「日本語能力試験」N2 合格を目指す人
▶ 中級を終えて、上級に進むための力をつけたい人
▶ 新聞や雑誌の記事が読めるようになりたい人
のための学習書です。

◆この本の特長◆

・少し易しい会話文で準備をしてから N2 レベルの読解練習をするので、無理なく学習が進められます。

・情報検索や内容理解のための読解スキルはもちろん、文章理解の基礎となる文章の文法（接続表現・指示語・機能語など）のポイントも解説。基礎固めをしながら学習できます。

・1 週間に 1 回分テストがついているので、理解の確認ができます。

・難しいところには英語・中国語・韓国語の訳がついていますから、一人でも勉強できます。

・模擬試験があるので、より実際のテストに近い形で確認ができます。

では、さっそく始めましょう！

2023 年 8 月

佐々木仁子・松本紀子

This study book is for:
• those who are seriously studying for the JLPT Level N2,
• those who have completed the intermediate level and wish to move to the next level,
• those who wish to learn to read newspaper articles and journals.

The special features of this book
• You will study without much difficulty because you will start with relatively easy spoken language and then move up to N2 level reading,
• You will learn skills for searching for information and understanding main ideas, as well as key grammar (i.e., conjunctive expressions, demonstratives, functional words, etc.), which will be useful for understanding the passages you read,
• The inclusion of a weekly test will enable you to regularly check your learning,
• The English, Chinese, and Korean translations are included for difficult sentences and words, which will enable you to study alone.
• You can test your ability with the JLPT practice exam.

Let's enjoy learning!

◆本书的特色◆
· 先利用稍微简单的对话文做好准备后，再进入 N2（2 级）水平的读解练习，由浅入深，循序渐进。
· 不仅提高检索信息或理解内容的读解能力，还针对作为理解文章的基础语法要点（接续词、指示代词、功能词等）加以解说，可以边巩固基础边深入学习。
· 通过每周 1 次的小测验，可以确认自己的理解程度。
· 对较难的句子附有英语、汉语、韩语的译文，可以用于自学。
· 由于有模拟考试，可以以更接近实际考试的形式测试水平。
让我们抓紧时间，现在开始努力学习吧！

이 책은
·「일본어 능력 시험」N2 의 합격을 목표로 공부하고 있는 사람
· 중급을 마치고 , 상급에 올라가고자 하는 사람
· 신문이나 잡지 기사를 읽을 수 있게 되고 싶은 사람을
위한 학습서입니다 .

◆이 책의 특징◆
· 조금 쉬운 회화문으로 연습을 한 후 , N2 레벨의 독해 연습을 하니까 , 무리 없이 학습을 향상시킬 수 있습니다 .
· 정보 검색이나 내용 이해를 위한 독해의 기술은 물론 , 문장을 이해하는데 기초가 되는 문장의 문법 (접속 표현·지시어·기능어 등) 의 요점도 해설되어 있습니다 . 기초를 다지면서 학습을 할 수 있습니다 .
· 일주일마다 일 회분의 테스트 가 있어 , 내용을 이해했는지 확인을 할 수 있습니다 .
· 어려운 곳은 영어·중국어·한국어의 번역이 있기 때문에 , 혼자서도 공부할 수 있습니다 .
· 모의 테스트가 있으므로 , 보다 실제 테스트에 가까운 형식으로 실력을 확인할 수 있습니다 .
그럼 , 이제 시작해 봅시다 !

本书是针对以下各位朋友而专门编写的学习辅导书。
· 决心考取"日语能力考试"N2（2 级）资格的朋友；
· 已达到日语中级水平，决心继续努力达到高级水平的朋友；
· 想要看懂报纸或杂志文章的朋友。

目　次
もく　じ

「日本語能力試験」 Ｎ２について

About the Japanese Language Proficiency Test (JLPT) Level N2　关于"日语能力考试"N2　「일본어 능력시험」 N2 에 대해서

➡️ 試験日

年２回（７月と１２月の初旬の日曜日）

※海外では、試験が年１回の都市があります。

➡️ レベルと認定の目安

レベルは５段階です。

N2 の認定の目安は、「日常的な場面で使われる日本語の理解に加え、より幅広い場面で使われる日本語をある程度理解することができる」です。

➡️ 試験科目と試験時間

N2	言語知識（文字・語彙・文法）・読解	聴解
	（105 分）	（50 分）

➡️ 合否の判定

「得点区分別得点」と、それらを合計した「総合得点」の二つで合否判定を行います。

得点区分ごとに基準点が設けられており、一つでも基準点に達していない場合は、総合得点が高くても不合格になります。

得点区分

N2	言語知識（文字・語彙・文法）	読解	聴解
0 ～ 180 点	0 ～ 60 点	0 ～ 60 点	0 ～ 60 点

総合得点　　　　　　　　　　　　　　得点の範囲

◆◆ N2「読解」の問題構成と問題形式

大問 だいもん	小問数 しょうもんすう	ねらい
内容理解 ないようりかい （短文） たんぶん	5	生活・仕事などいろいろな話題も含め、説明文や指示文など 200字程度のテキストを読んで、内容が理解できるかを問う。
内容理解 ないようりかい （中文） ちゅうぶん	9	比較的平易な内容の評論、解説、エッセイなど500字程度 のテキストを読んで、因果関係や理由、概要や筆者の考え方 などが理解できるかを問う。
統合理解 とうごうりかい	2	比較的平易な内容の複数のテキスト（合計600字程度）を 読み比べて、比較・統合しながら理解できるかを問う。
主張理解 しゅちょうりかい （長文） ちょうぶん	3	論理展開が比較的明快な評論など、900字程度のテキスト を読んで、全体として伝えようとしている主張や意見がつか めるかを問う。
情報検索 じょうほうけんさく	2	広告、パンフレット、情報誌、ビジネス文書などの情報素材 （700字程度）の中から必要な情報を探し出すことができる かを問う。

試験日、実施地、出願の手続きのしかたなど、「日本語能力試験」の詳しい情報は、
しけんび　じっしち　しゅつがん　てつづ　　　　　　　　　　　　　　にほんごのうりょくしけん　　くわ　じょうほう
日本語能力試験のホームページ https://www.jlpt.jp をご参照ください。
にほんごのうりょくしけん　　　　　　　　　　　　　　　　　　　　　　さんしょう

この本の使い方
ほん　つか　かた

How to use this book　本书的使用方法　이 책의 사용법

◆ 本書は、第1週～第6週までの6週間で勉強します。広告やお知らせなどの日常生活
でよく見る文書から始めて、エッセイ、新聞記事や論説文まで徐々にレベルアップし
ていきます。

This book is designed as a 6-week course. You will start with ads and notices you see in your daily life, then will gradually move up to higher level sentences such as essays, newspaper articles, editorials, etc..

本书从第1周到第6周总共分6周进行学习。从阅读广告、通知书等日常生活中经常接触的文章开始，到最后能够阅读各种散文、报纸的报道文章、议论文等难度较高的文章，来帮助大家渐渐提高阅读能力。

본 책은 제1주부터 제6주까지 6주간 공부를 할 수 있게 짜여 있습니다. 광고나 알림장 등 일상생활에서 흔히 보는 문서부터 시작해서, 수필, 신문 기사나 논설문에 이르기까지 점차 레벨이 올라갑니다.

◇ まず、ここに書いてあること
をよく読みましょう。文章を
理解するためのポイントが書
いてあります。

Please read carefully what is written here. It contains keys to understand sentences.

首先请仔细的读这些例句和解说。这里写的都是有助于理解文章的语法要点。

우선, 이곳에 쓰여 있는 것을 잘 읽어 봅시다. 문장을 이해할 수 있게 요점이 쓰여 있습니다.

◇ 「練習」は右ページの「問題」
の文章を理解するための準備
練習です。やさしい話し言葉
で書いてあります。

"Renshu" is a warm-up exercise to understand the sentences in the "Mondai" (exercise) on the right hand page.

"练习"栏中的内容是为理解右页"问题"文章的预备练习，使用了简单易懂的口语表现。

「연습」은 오른쪽 페이지의 「문제」의 문장을 이해하는 데 필요한 준비 연습입니다. 알기 쉬운 말로 쓰여 있습니다.

◇ 「練習」の会話文を読んだら、
正しく理解できたかチェック
をします。答えは次のページ
の右下にあります。

After you finish reading "Renshu"(warm-up exercise), check to see if you have understood it correctly. The answers are at the bottom right of the next page.

阅读"练习"栏中的对话文后，通过选项确认是否已正确理解。答案在下一页的右下角。

「연습」의 회화문을 읽은 다음, 정확히 이해했는가를 확인합니다. 해답은 다음 페이지의 오른쪽 하단에 있습니다.

第5週	新聞を読もう
2日目	見出し②

Headlines ②
标题 ②
표제어 ②

学習日　　月　日（　）

✿ 助詞に注意して文の意味を予想しよう

Let's guess the meaning of the sentences by paying attention to the particles!
注意助词的用法想想整句话的意思　조사에 주의하여 글의 의미를 예상해 봅시다

🐶 例えばこんなふうに助詞で終わる見出しも多いです。

製品事故 安全基準見直しも ・安全基準の見直しも検討されている。
The revision of the safety standards is being discussed.
正在研究是否应重审安全标准。　안전 기준의 재검토도 고려되고 있다.

ABCカンパニー会長 退任へ ・退任という方向へ動いている。
The general sentiment is leaning towards him resigning.
卸任的可能性越来越大。　퇴임하는 방향으로 움직이고 있다.

経済 他国よりも国内救済を ・他の国よりも国内経済の救済をすべきだ。
The domestic economy should be saved rather than those of other countries.
与其援助其他国家更应救助本国国内经济。　다른 나라보다도 국내 경제를 구제해야만 한다.

練習 次の会話文を読んで、後の文から正しいものを選ぼう。　　▶答えは次のページの右下

客　：あら、もうお中元の商品が並んでるのね。

店員：いらっしゃいませ。今年は「エコ」（※1）をテーマに当店でしかお求めになれないギフトをご用意させていただいております。ぜひ、ご利用くださいませ。

客　：エコだなんて、安いものという感じがしない？　贈り物としてどうかしら……。

店員：エコと申しますのは、環境に配慮し（※2）、また産地や素材（※3）、製法などが特別なもの、という意味でございますので、手間をかけた（※4）当店自慢の商品でもございまして、贈り主様の意識の高さが相手様に伝わることと存じます。

（※1）エコ：environmentally friendly　环保　친환경
（※2）配慮する：to give some considerations　考虑　배려하다
（※3）素材：materials/ingredients　材料　소재
（※4）手間をかける：to spend more time and effort　精心制作　시간, 노력, 수고를 들이다

□ 1　エコというのはエコノミー、すなわち経済的だという意味だ。
□ 2　エコというのは環境に配慮するという意味だ。
□ 3　エコをテーマにした商品はどこでも買うことができる。
□ 4　この店では今年は「エコ」をテーマにしたギフトを用意している。
□ 5　この店では素材や製法にかかる費用をおさえて商品を買いやすい値段にしている。

80　Week 5 : Let's read the newspaper!

◆ 各週の１日目から６日目まではポイント別の読解練習です。７日目は日本語能力試験に近い形式の「まとめの問題」で、その週に勉強したことを確認します。

Every week from Day 1 to Day 6, you will practice reading various sentence structures, and on Day 7, you will review what you have learned in the practice exercise which follows the JLPT format.

每周从第１天到第６天，针对不同的要点进行读解练习。第７天利用与日语能力考试相似的实战问题，确认该周的学习成果。

각 주의 첫날부터 6 일째까지는 요점별 독해 연습입니다. 7 일째는 일본어 능력 시험에 가까운 형식의 실전문제로 그 주에 공부한 내용을 확인합니다.

◆ 第６週が終わった後は、「模擬試験」で日本語能力試験と同じ形式の問題を解いてみましょう。

After you finished the 6th week, please try to answer the questions in practice test which questions are designed in the same format as JLPT exam.

第６周结束以后，请尝试解答和日语能力考试一样出题形式的"模拟考试"吧！

6 주 차가 끝난 후에는 "모의고사"에서 일본어능력시험과 같은 형식의 문제를 풀어봅시다.

```
┌─────────────────┐   ┌─────────────────┐
│  １日目～６日目  │   │     ７日目      │
│ 話し言葉→書き言葉 │ → │ まとめの問題で  │ → 次の週へ …… → │ 模擬試験 │
│  の読解練習     │   │ 力がついたか確認 │
└─────────────────┘   └─────────────────┘
```

◇「問題」には音声がついています（一部の問題を除く）。復習や音読用にぜひご活用ください。

There are audios of the *Mondai* (except for a few questions). You may use it for revision or shadowing.

"问题"附有音频（除了一部分问题以外）。可以用作复习和跟读。

[문제]에는 음성이 있습니다（일부 문제 제외）. 복습이나 음독용에 활용해 주세요.

◇ 実用的な文書から少し難しい読み物まで、様々な文章を読みます。

You will read various sentences, ranging from practical daily ones to those which are a little more difficult.

从实用的文章到较难的读物，练习阅读各种文章。

실용적인 문서부터 조금 어려운 읽을거리까지, 다양한 문장을 읽게 됩니다.

問題 次の新聞記事を読んで、後の問いに答えなさい。▶答えは p.83 ◀)) No.32
＊部分翻訳や解説は別冊 p.9 ～ 10

第１週 第２週 第３週 第４週 **第５週** 第６週

お中元もエコを主力に

有機農法飲料など続々と

お中元商戦を目前に、デパートの竹屋と丸越は目玉商品を公開した。両デパートとも、「エコ」をテーマに商品を並べ、「産地や素材へのこだわり（※1）」を強調している。

竹屋デパートはお中元用商品2500品から主力商品として25品を選び、展示した。

有機農法（※2）によるジュース、レストランなどで余った食材をエサとして飼育した豚の肉などもあった。丸越デパートでも地下入り口に10品並べ、「人と地球にやさしいグリーンギフト」として農薬を減らして栽培する（※3）野菜の冷製スープなどの商品を主力としていた。

両デパートとも「ほかでは買えない」ものを演出し、客に財布のひもをゆるめてもらうのがねらいだ。

（※１）こだわり：particular preferences 讲究 세심하게 주의를 기울여 일에 몰두함

（※２）有機農法：organic farming 有机农业 유기 농법 　（※３）栽培する：to grow 栽培 재배하다

問1 文中の目玉商品と同じ意味で使われている言葉はどれか。

1 中元用商品　　　2 エコ商品　　　3 ギフト商品　　　4 主力商品

問2 この記事の内容と合っているものはどれか。

1 どちらのデパートも客が買いやすいような値段設定にしている。

2 どちらのデパートも環境に配慮した商品に注目している。

3 どちらのデパートも同じような商品を並べて商戦に臨んでいる。

4 一方のデパートでは品数を多くし、他方では品数を少なくして商戦に臨んでいる。

問題 (p.79) の答え：問1．4　問2．4

（左ページの答え→2・4）

◇ 前の日の「問題」の答えです。

These are the answers to the previous day's *Mondai*.

前一天的"问题"答案。

전날의 "문제"의 답입니다.

◆ 1日目〜6日目まではすべての漢字の下にルビがついています。ルビを隠しながら読むと漢字を読む練習になるでしょう。

7日目の「まとめの問題」と「模擬試験」は、日本語能力試験に合わせて、N1レベル以上の漢字の上にルビをつけてあります。

Kana reading is found underneath the kanjis in the lessons from Day 1 to Day 6. It will be good practice for reading if you cover it as you read. The summary questions and practice test on Day 7 are tailored to the JLPT, with kana characters printed alongside kanji that are more difficult than the N1 level.

第1天到第6天部分的所有汉字下方均标注假名。遮盖标注的假名来阅读，就能帮助提高汉字读音能力。第7天的"综合问题"和"模拟考试"会根据日语能力考试，在难于N1级别的汉字上标注注音假名。

첫날부터 6 일째까지는 모든 한자의 아래에 한자 음 (루비) 이 쓰여 있습니다 . 그 한자 음을 가리면서 읽으면 한자의 읽기 연습이 될 것입니다 .
7 일째의 ' 정리 문제 ' 와 ' 모의고사 ' 의 경우 , 일본어능력시험을 기준으로 N1 수준보다 어려운 한자에는 후리가나가 달려있습니다 .

◆ 問題を解いたら、必ず答え合わせをしましょう。問題の部分翻訳や解説は別冊に書いてあります。巻末についていますので、取り外して使ってください。

After you answer the questions, check to see if your answers are correct. Translations of excerpted sentence and explanations can be found in the removable booklet attached at the back of this book.

答题后，一定要对答案。问题的读解文的一部分翻译・解说在附册在本书的最后，请裁剪下来使用。

문제를 풀면 반드시 답을 맞춰 봅시다 . 발췌 문장의 번역・해설은 별책에 씌어 있습니다 . 책 끝에 붙어 있으니 따로 떼어서 사용해 주세요 .

◆「まとめの問題」と「模擬試験」は、時間を計って、テストのつもりで解きましょう。制限時間内に終わらない場合も最後まで続けましょう。

The summary questions and practice test are timed, and you should try to solve them as if they were real tests. However, answer all the questions even if you are unable to finish within the time limit.

做"综合问题"和"模拟考试"时，请计算时间，当作真正的考试来解答。即使没能在规定的时间内完成，也坚持到最后吧。

'정리 문제 ' 와 ' 모의고사 ' 는 시간을 재면서 실제 시험처럼 풀어보세요 . 제한시간 내에 끝내지 못하더라도 끝까지 풀어봅시다 .

◆「問題」の音声は以下からダウンロードできます。

You can download audio of the "Mondai" from the link below.

"问题"的语音可以从以下链接下载。

" 문제 " 의 음성은 아래에서 다운로드 가능합니다 .

• アスク出版のホームページ：https://www.ask-books.com/jp/so-matome-dl/

ASK Publishing website　ASK 出版的主页　ASK 출판 홈페이지

• Apple Podcast・Spotify に対応しています。

Compatible with Apple Podcast and Spotify.

也可以在 Apple Podcast 和 Spotify 中收听。　Apple Podcast, Spotify 에서도 이용 가능합니다 .

◆ 答え・解説または訳の場所は下の表の通りです。

The location of the answer, commentary, or translation is as shown in the table below.

解答，解说或者翻译的位置，如下表所示。　정답 및 해설 또는 번역이 기재된 곳은 아래 표와 같습니다 .

	答え Answer 解答　정답	解説または訳 Commentary or translation 解说或者翻译　해설 또는 번역
1〜6日目　問題	2ページ先	
7日目「まとめの問題」	次の週の1日目の右ページ下 （第6週のみ問題2の下）	別冊
模擬試験	別冊	

身の回りの文書を読もう
み　まわ　　　ぶんしょ　　よ

Let's read the language you see on a daily basis!

阅读身边的文章

주변에서 흔히 볼 수 있는 문서를 읽어봅시다

身の回りの文書を読もう

割引券・クーポン

Discount Coupons
打折券、优惠券
할인권·쿠폰

✿ 有効期限に注意！
Pay attention to the date of expiry!
注意有效期限！　유효 기한에 주의！

 例えばこんな項目をチェックします。

◆ いつまで？ →	有効期限：XX 年〇月×日まで
	XX 年〇月×日まで有効

◆ いくら？ → 無料　　半額　　〇割引　　〇% OFF

◆ どこで？ → 〇〇店のみ（＝〇〇店だけ）　　全店（＝どの店でも）

◆ いつ出す？ → ご注文の際（＝注文するとき）
　　　　　　　　お会計前に（＝会計するとき）

◆ 何人？ → お一人様一回（＝持っている人が一回だけ）
　　　　　　同伴の方お一人まで（＝一緒に行った人も一人だけ）

これ、
使えるかなぁ…

練習 次の会話文を読んで、後の文から正しいものを選ぼう。　▶答えは次のページの右下

> 妹：おいしいね、このチーズケーキ。
>
> 姉：うん。あ！チーズケーキといえば、割引券があったの、忘れてた。……ほら！
>
> 妹：なんだー。早く気がつけばよかったのに。もう食べちゃったよ。
>
> 姉：会計のとき出せばいいんじゃないの？ えーっと、あ、注文のときに出すんだって。
>
> 妹：えー。半額になるはずだったんでしょ。二人だから500円も安くなるんだったのに。
>
> 姉：一人分だけだって。でも、それでももったいないよね。店員さんに聞いてみようか。
>
> 妹：ちょっと見せて。……あれ？ なんだ、これ期限過ぎてるじゃない。

□ 1　姉も妹もチーズケーキを注文した。

□ 2　この店のチーズケーキは 500 円である。

□ 3　割引券は会計のときに出せばいい。

□ 4　割引券は一緒に行った人の分も安くなる。

□ 5　今回、この割引券は使えない。

問題 次の2種類の券を見て、後の問いに答えなさい。　▶答えは p.15　◀)) No.01
＊部分翻訳や解説は別冊 p.2

A

Berry's チーズケーキ 50% OFF 券

~~¥500~~（税込）→ **¥250**（税込）

● 本券は全国の Berry's 各店でご利用になれます。
● ご注文の際、店員にお渡しください。
● 本券はお一人様1枚のみ有効です。
● 他のクーポン券との併用はできません。
● 朝食時間帯(※1)(6:00 ~ 10:00) はご利用になれません。

20XX 年5月31日まで有効

B

薬のキク太郎　お買い物券

500 円

有効期限：20XX 年12月31日までにご利用ください。

※全店でお使いになれますが、調剤(※2)・たばこ・ハガキ・切手・雑誌等、一部ご利用になれない商品がございます。

（※1）時間帯：hours　時段　시간대　　　　（※2）調剤：pharmacy　配药　약조제

問1　AとBに共通の内容はどれか。

1　その店の商品全部に使えるわけではない。
2　この券はもらった店でしか使えない。
3　この券を使えば支払いは半額になる。
4　その店によって使えない時間帯がある。

問2　間違っているものはどれか。

1　Aの券は一人分一回だけ有効である。
2　Bの店には薬以外の商品も売っている。
3　どちらも会計の際に券を見せればよい。
4　どちらも有効期限が過ぎれば使えなくなる。

（左ページの答え→1・2・5）

第1週 **2日目**

身の回りの文書を読もう

ダイレクトメール

Direct Mail (DM)
直邮广告
다이렉트 메일
(직접 개인이나 가정으로 발송되는
광고 우편물)

学習日　　月　日( )

✿期間や特典を受ける条件に注意！
（きかん　とくてん　う　じょうけん　ちゅうい）

Pay attention to the dates and the conditions for receiving bonuses!
注意优惠期间及领取赠品的条件！
기간 혹은 특전을 받을 수 있는 조건에 주의 !

例えばセールのお知らせなら、こんな内容が書いてあります。
（たと　　　　　　し　　　　　　　　　　　　ないよう　か）

◆ 期間は？　　　　　→ 日時、閉店日もチェック。
（きかん）　　　　　　（にちじ　へいてんび）

◆ 対象となる商品は？ → 新製品は？
（たいしょう　しょうひん）　（しんせいひん）

◆ どのぐらい安くなる？
（やす）
→ 〇% OFF、〇割引、半額……
（わりびき　はんがく）

店頭表示価格からさらに割引？
（てんとうひょうじ　かかく　　　　　わりびき）
The price displayed in store is discounted even further?
在店内标价的基础上再进一步打折吗?
매장 표시 가격에서 추가 할인？

買い物の合計額によって割引率が異なる？
（か　もの　ごうけいがく　　　　わりびきりつ　こと）
Does the discount rate depend on the total amount of purchases?
折扣率会因购物总额而异吗?
총구매 금액에 따라 할인율이 달라지나요？

◆ 当日必要なものは？ →
（とうじつひつよう）
届いたハガキ？
（とど）
会員証？
（かいいんしょう）
Membership Card?　会员证？　회원증？

安い！
（やす）
30%で買えるんだ！
（か）

違うよ！
（ちが）
30%引き！
（び）

練習 次の会話文を読んで、後の文から正しいものを選ぼう。
（つぎ　かいわぶん　よ　　　　あと　ぶん　　　ただ　　　　　　えら）

▶答えは次のページの右下
（こた　　つぎ　　　　　　みぎした）

夫： 今日も暑くなりそうだなあ……お、セールのハガキか。
（おっと　きょう　あつ）

妻： うん、昨日来てた。毎年来るけど。
（つま　　　　きのうき　　まいとしく）

夫： なんだ、3日間だけか。……しかも、平日。うちなんか行けるわけないよな。
（おっと　　　　かかん　　　　　　　　　　へいじつ　　　　　　　い）

妻： そうなのよ。土日だったらね……。あ、もうこんな時間。はい、お弁当。えっと、
（つま　　　　　どにち　　　　　　　　　　　　　じかん　　　　べんとう）

今日はちょっと遅くなるけど、あなたよりは早く帰れると思うから。
（きょう　　　　　おそ　　　　　　　　　　　はや　かえ　　おも）

夫： 了解。じゃ、行ってくる。
（おっと　りょうかい　　　い）

妻： いってらっしゃい。私も急がないと。お弁当持ったし、窓は閉めたし……。
（つま　　　　　　　　　わたし　いそ　　　　　べんとうも　　　まど　し）

☐ 1　今週末、3日間セールがある。
　　（こんしゅうまつ　かかん）

☐ 2　夫は今日帰宅が遅くなるかもしれない。
　　（おっと　きょう　きたく　おそ）

☐ 3　妻は今日仕事の帰りにセールに行くつもりだ。
　　（つま　きょう　しごと　かえ　　　　　　い）

☐ 4　夫はセールに興味がある。
　　（おっと　　　　　　　きょうみ）

☐ 5　二人はセールに行きたくても行けない。
　　（ふたり　　　　　　い　　　　　　　い）

問題 次のダイレクトメールを読んで、後の問いに答えなさい。

▶答えは p.17　◀))) No.02

＊部分翻訳や解説は別冊 p.2

ファッションセンターやまむら

会員様ご招待 特別セール

期間限定・会員様だけにお届けする(※1)
3日間だけのお得なセールのご案内

開催期間

20XX 年 7 月 5 日（火）～ 7 月 7 日（木）

❦❧ 特典 1 ❦❧

新商品も、割引商品も、店頭表示価格から

店内全品 **20%**OFF

さらに、1 万円以上ご購入の際は **30%**OFF

❦❧ 特典 2 ❦❧

セール中ご来店のお客様に、
もれなく(※2)記念品をプレゼント！

必ず本状(※3)をお持ちください。

（※1）お届けする：（この場合）
　　　　　　　　　　お知らせする

（※2）もれなく：without exception
　　　　　　　　人人有份　　빠짐없이

（※3）本状：このハガキ

問1 正しくないのはどれか。

1　割引になっている商品もさらに安くなる。

2　1 万円以上買えば 3 割引になる。

3　記念品をもらうには案内状が必要だ。

4　新商品はセールの対象ではない。

問2 右の値札がついている商品 1 点だけを購入する場合、

いくらで買えるか。

1　7,000 円　　　　2　8,000 円

3　9,800 円　　　　4　10,000 円

~~¥14,000~~

特価 ¥10,000

問題 (p.13) の答え：問1．**1**　問2．**3**

（左ページの答え→4・5）

身の回りの文書を読もう

アルバイト情報

Information on Part-time Jobs
打工信息
아르바이트 정보

✿ 特に曜日・時間帯などに注意！

Pay special attention to the days and the hours!
特别注意星期几和时段等！　특히 요일·시간대 등에 주의！

アルバイト情報には例えばこんな言葉が出てきます。

◆ 募集	wanted　招聘　모집	◆ 調理	kitchen staff　烹调　조리원 혹은 조리 보조
◆ 応相談	We can accommodate individual requirements 可面议　상담에 응함	◆ 販売	sales clerk　销售　판매
◆ レジ	cash-register clerk　收银员　금전 출납계	◆ 接客	waiting on customers　接待顾客　접객
◆ 家電	electric appliances　家用电器　가전 제품	◆ 勤務	work　工作　근무
◆ 全額	total amount　全额　전액	◆ 支給	reimbursed　支付　지급

1時間 5,000 円も
もらえるんだ！

日給
5,000
円

時給じゃなくて
1日 5,000 円よ！

練習 次の会話文を読んで、後の文から正しいものを選ぼう。　▶答えは次のページの右下

A：クリーンスタッフとか、ホールスタッフってどういう仕事なのかな？

B：クリーンは掃除をするってことだろ。カタカナにすると聞いたときの印象がいいから。ホールスタッフは店によって違うけど、この店の場合、たぶんレストランの店員と同じように注文とったり、運んだり、片付けたりするんじゃないかな。

A：掃除はちょっと……。レジも大変そう。販売員なんて、絶対向いてない(※)し……。

B：ぼくは土日しかできないし、このいちばん時給の高いのにしようかなあ。仕事内容にも興味があるし。

A：私は、夜はできないし、平日も無理。

(※) 向いていない：This job doesn't suit me.　不适合　적성에 맞지 않는다

- □ 1　ホールスタッフとはイベント会場の受付の仕事である。
- □ 2　Bさんはやりたいことやできる日、希望がはっきりしている。
- □ 3　AさんもBさんも週末しかバイトができない。
- □ 4　Bさんは簡単なレジの仕事やきれいな清掃業務ならやってみたい。
- □ 5　Aさんは飲食店の接客の仕事に興味がある。

問題 次のアルバイト情報を見て、後の問いに答えなさい。　▶答えは p.19

＊部分翻訳や解説は別冊 p.2

		仕事内容	曜日・時間帯 等	時給	交通費
A	ランチタイム スタッフ募集！ ○○シティホテル レストランみやび	レストランスタッフ	平日 11:00 ～ 14:00 週2回からOK	1300 円～	1日 1500 円 まで
B	家電販売店 販売員募集 石丸カメラ みどり店	接客・販売	9:00 ～ 18:00 土日・祝日 勤務	1200 円～	全額支給
C	ホールスタッフ募集 ビアホール「プラハ」	ホールスタッフ 明るく元気な方歓迎！	17時～翌2時 週3回、3時間以上勤務	1500 円～	全額支給
D	スタッフ募集 シネマフォレスト	映画館スタッフ	8:00 ～ 24:00 の間で 1日4時間以上 土日勤務できる方歓迎	1000 円～	全額支給
E	キッチン・ホール スタッフ募集！ カフェリオーネ	調理補助(※1) ホール係	10:00 ～ 24:00 の間で 応相談　ランチタイム・土日 勤務できる方歓迎	1000 円～	1日 1000 円 まで
F	クリーンスタッフ募集 光ビルサービス 寺下事業所	ビル内のきれいな お仕事です。 未経験者歓迎！	9:00 ～ 12:30 の間で 週3日程度	1100 円～	全額支給
G	コンビニスタッフ募集 キラキラマート 寺下店	レジ・販売補助	週2日、1日4h(※2)～ 早朝勤務できる方歓迎	1000 円～	全額支給
H	弁当店スタッフ募集 お弁当のホットK 寺下公園店	接客 ※経験のない方も OK	17:00 ～ 23:00 週2日～	1100 円～	全額支給
I	ケータイショップ 販売スタッフ募集 Docomi shop みどり店	接客・販売	土日のみ 10:00 ～ 18:00	1500 円～	片道 1000 円 まで

（※1）補助：assistant　助手　보조　　　　　　（※2）4h：4時間

問1　左ページの会話から、Aさんの条件に合わないものを除くと、どれが残るか。

　　　1　CとE　　　　　2　CとD　　　　　3　DとE　　　　　4　DとG

問2　左ページの会話で、Bさんが興味を持っているのはどの仕事と考えられるか。

　　　1　B　　　　　　2　C　　　　　　3　H　　　　　　4　I

問題（p.15）の答え：問1．**4**　問2．**1**

（左ページの答え→2・3）

アパート・マンション情報

Apartment Information　租房信息　아파트 · 맨션 정보

✿家賃は管理費を入れた金額で考えよう

You should include the monthly maintenance charge in the total cost of the rent

考虑房租时应算进物业管理费　관리비를 포함한 금액을 집세로 생각합시다

アパート・マンション情報には例えばこんな言葉が出てきます。

◆ 最寄り駅	the nearest station　最近车站　가장 가까운 역	
◆ 徒歩	on foot　步行　도보	
◆ 間取り	a floor plan　房间布局　방의 배치	
◆ 賃料	rent　房租　집세	
◆ 敷金／保証金	Key money or deposit paid to the landlord as a guarantee at the time of the signing of the contract.　租房时，为保证支付房租而预先缴纳的押金。집이나 방을 빌릴 때 집세의 지불을 보증하기 위해 맡겨 두는 돈.	
◆ 礼金	Money paid to the landlord as thank-you money at the time of the signing of the contract.　租房时，支付给房东的酬谢金。집이나 방을 빌릴 때, 집 주인에게 사례로서 지불하는 돈.	

◆ 所在地	a location　所在地点　소재지
◆ 面積	floor space　面积　면적
◆ 築年数	age of the building　房龄　건축 연수
◆ 管理費	maintenance cost　物业管理费　관리비

練習 次の会話文を読んで、後の文から正しいものを選ぼう。　▶答えは次のページの右下

> 学生A：俺は、敷金・礼金なしで、月5万5千円ぐらいまで……。あるかな……。
>
> 学生B：僕も同じ条件だな。……あ、あった。お、これ、すごい！ せまいけど冷暖房も付いてる。それに駅のそばみたいだ。値段も悪くない。
>
> 学生A：でも、その駅って、特急止まらないよね。特急使えるほうが絶対いいよ。
>
> 学生B：いや、特急の止まらない駅のほうが安くていいところに住めるかも。
>
> 学生A：あ、そっか……。あ、でも、これなんかすごく安い！ こっちも予算以内だ。
>
> 学生B：それ、バス使うんだよ。バス代高いし、歩いたらけっこうある（※）し、雨の日が大変そう。駅の近くがいいよ、やっぱり。歩くとしても10分前後までだな。
>
> 学生A：べつに、歩いても構わないけどな……、自転車買ってもいいし。

（※）けっこうある：けっこう距離がある

☐1 AさんもBさんも敷金・礼金なしの部屋を探している。

☐2 Bさんはバスが苦手なので、バスを使わないところがいい。

☐3 Aさんは特急の止まる駅を利用するところに住みたい。

☐4 Bさんは10分でも歩くのは嫌だ。

☐5 Aさんは自転車があるので、遠くても気にならない。

問題 次のアパート・マンションの情報を見て、後の問いに答えなさい。

▶答えは p.21

＊部分翻訳や解説は別冊 p.2

みどり市内 賃貸アパート・マンション情報

	最寄り駅	徒歩	面積	築年数	賃料	敷金・保証金
	所在地	バス（徒歩）	間取り	方位	管理費等	礼金
1	黒田駅	25分	26.5㎡	19年	5.5万円	なし
	みどり市本町	8分（1分）	1K	南東	3,000円	なし
2	黒田駅	17分	22.35㎡	1年	6.5万円	1ヵ月
	みどり市小川町	―	1K	南	4,500円	なし
3	白田駅	11分	16.52㎡	18年	4.5万円	なし
	みどり市新町	―	1K	東	3,000円	なし
4	白田駅	5分	14.88㎡	25年	5.0万円	なし
	みどり市寺町	―	ワンルーム	南	3,000円	なし
	※角部屋（※）、エアコン付					
5	青田駅	3分	36.12㎡	13年	7.2万円	なし
	みどり市青田	―	1DK	南	5,000円	なし
6	青田駅	27分	26.49㎡	23年	5.0万円	なし
	みどり市坂上	10分（1分）	1K	南西	2,000円	なし

■私鉄川島線（みどり市内）　　　　　　　　　　　　　　　◎＝特急停車駅

北山方面　　　青田　－　寺町　－　白田　－　黒田　－　下川　　　川島中央方面

（※）角部屋：a corner room　边角房　모퉁이 방

問1 左ページの会話から、Aさんの希望条件に近いものはどれか。

　　1　1と6　　　　2　2と5　　　　3　3と4　　　　4　4と1

問2 左ページの会話から、Bさんの希望条件に近いものはどれか。

　　1　1と3　　　　2　3と4　　　　3　3と6　　　　4　4と6

問題（p.17）の答え：問1．**3**　問2．**4**

（左ページの答え→1・3）

身の回りの文書を読もう

利用案内
りょうあんない

User Guides
使用指南
이용 안내

✿ 施設などの利用に関する注意事項をよく読もう
しせつ　　　　　　りよう　　かん　　ちゅうい じこう　　　　よ

Read the notices for the users of the facility carefully!
仔細閲読使用設施等相関注意事項　시설 등의 이용에 관한 주의 사항을 주의 깊게 읽어봅시다

例えば駐輪場の利用案内にはこんな言葉が出てきます。
たと　　ちゅうりんじょう　りょうあんない　　　　　ことば　で

◆ 駐輪 ちゅうりん	bicycle parking　存车　자전거를 세워 두는 것	◆ 破損 は そん	damage　損坏　파손
◆ 原付 げんつき	＝原動機付自転車 げんどう き つき じ てんしゃ a moped　轻便摩托车　50cc 이하 원동기 부착 오토바이	◆ 責任を負う せきにん　お	be responsible for　负责　책임을 지다
◆ 月極 つきぎめ	a monthly lease　月租　한 달을 단위로 계약함	◆ 放置 ほう ち	parked beyond the allowable time limit 弃置　방치
◆ 盗難 とうなん	a theft　被盗　도난		
◆ 防止 ぼう し	prevention　防止　방지		
◆ 撤去 てっきょ	removal　撤除　철거		
◆ 定期契約 てい き けいやく	a fixed period lease　定期合同　정기 계약		

ちゃんと駐輪場に
ちゅうりんじょう
止めないからだよ。
と

ボクの自転車が
じ てんしゃ
ない…

練習 次の会話文を読んで、後の文から正しいものを選ぼう。
つぎ　かい わ ぶん　よ　　　あと　ぶん　ただ　　　　　えら

▶答えは次のページの右下
こた　　つぎ　　　　　みぎした

妹：お兄ちゃん、いつも自転車どこに止めてる？
いもうと　にい　　　　　　じ てんしゃ　　　と

兄：たいてい駅前の無料のとこ（※1）。いっぱいのときは、北口。
あに　　　　えきまえ　むりょう　　　　　　　　　　　　　きたぐち

妹：北口って有料でしょう？　いくらかかる？
いもうと　きたぐち　ゆうりょう

兄：100 円で6時間だけど、最初の2時間は無料だし、近くて、便利だよ。
あに　　えん　　じかん　　　　　さいしょ　じ かん　むりょう　　　ちか　　　べんり

妹：そうなんだ、知らなかった。私、この前駅前が満車だったから公園の無料駐輪
いもうと　　　　　　　　　　わたし　　　まええきまえ　まんしゃ　　　　　こうえん　む りょうちゅうりん

　　場まで戻って遅刻しそうになっちゃった。
じょう　もど　　ちこく

兄：要領悪いからなあ、お前は。月極にすれば？　学割もきく（※2）んだし。
あに　ようりょうわる　　　　　　おまえ　　つきぎめ　　　　　　がくわり

妹：ほとんど毎日行くんだから、そうだね……。
いもうと　　　　まいにち い

（※1）無料のとこ：無料のところ
む りょう　　　む りょう

（※2）学割もきく：Student discounts also apply　享有学生折扣　학생 할인도 받을 수 있다
がくわり

□1　妹は北口の駐輪場を利用したことがない。
いもうと　きたぐち　ちゅうりんじょう　りよう

□2　兄はいつでも無料駐輪場を利用している。
あに　　　　　　む りょうちゅうりんじょう　りよう

□3　兄も妹も駅前の無料駐輪場を利用したことがある。
あに　いもうと　えきまえ　む りょうちゅうりんじょう　りよう

□4　兄は妹に学生割引の使える駐輪場をすすめている。
あに　いもうと　がくせいわりびき　つか　　ちゅうりんじょう

□5　北口の駐輪場は、駅ビルで買い物をすれば8時間 100 円で止められる。
きたぐち　ちゅうりんじょう　　えき　　　か　もの　　　　　じ かん　　えん　と

問題 次の駐輪場の利用案内を見て、後の問いに答えなさい。

▶答えは p.23　◀)) No.03
＊部分翻訳や解説は別冊 p.2

みどり駅北口駐輪場

ご利用時間：午前5時〜翌午前1時

定期利用〔月極〕の場合は前の月の25日までに申込書を駐輪場窓口に提出してください。

＊お申し込みの際は料金（契約月数分）、身分証明書（学割を受ける場合は学生証）が必要です。

料金	定期利用〔月極〕	一時利用〔時間貸〕
自転車	2,000 円 （学割 1,500 円）	最初の2時間は無料 以降6時間あたり 100 円
原付（50cc 以下）	2,600 円 （学割 2,000 円）	最初の2時間は無料 以降6時間あたり 200 円

――― **駐輪場はルールを守って利用しましょう。** ―――

- ゴミなどは捨てないでください。
- 盗難防止のため、カギは必ずおかけください。
- 駐輪場での事故・盗難・破損等については、一切責任を負いません。
- 無断で駐輪している場合や、一時利用置き場に2日以上放置されている場合は撤去の対象となりますのでご注意ください。

みどり市役所　都市計画課〈XXX-XXXX〉

問1　正しいものはどれか。

1　月極で利用したい場合には、市役所に申し込まなければならない。

2　4月から定期利用したい場合は3月末までに申し込まなければならない。

3　一時利用で1時間止めた場合は無料である。

4　時間貸で24時間止めた場合、自転車が別の場所に移動される。

問2　学生がバイク（原付）を3ヵ月定期利用する場合、申し込みの際いくら必要か。

1　2,000 円　　　2　2,600 円　　　3　6,000 円　　　4　7,800 円

問題（p.19）の答え：問1．**1**　問2．**2**

（左ページの答え→1・3・4）

身の回りの文書を読もう

レシピ
Recipes
烹调菜谱
레시피

🌸順番や程度を表す表現に注意！
Pay attention to the expressions for showing the order and the degree!
注意下锅顺序和份量的指示！　순서나 정도를 나타내는 표현에 주의！

例えばグラタンの作り方にはこんな言葉が出てきます。

◆ルー	roux (sauce) 掺油面粉糊　루(녹인 버터에 밀가루를 넣어 볶은 후 조미료 혹은 향신료 가루와 혼합하여 고형화 한 것.)		
◆○○の素	instant mix for making ...　○○精　○○의 조미료	◆沸騰する	to boil　沸腾　끓어 오르다
◆ソースミックス	sauce base　调味酱　소스 믹스	◆かき混ぜる	to mix　搅拌　휘저어 섞다
◆薄切り	thinly sliced　切成薄片　얇팍하게 썰기	◆煮立つ	to start to boil　煮开　펄펄 끓다
◆角切り	diced / cubed　切成块儿　깍둑썰기	◆アク	Scum　浮沫　불순물 거품
◆一口大に切る	to cut it into bite-size pieces　切成一口大的块儿　한입 크기로 자르기	◆すくう	to scoop out　捞出　건져내다
◆厚手の鍋	a heavy pan　厚底锅　두꺼운 냄비	◆焦がさないように	not to burn　留意不要炒糊　태우지 않도록
◆ボウル	a mixing bowl　碗　볼(주발)	◆焦げ目がつくように	to brown　至表面焦黄　태운 자국이 생기도록
◆耐熱皿	a Pyrex pan　耐热盘　내열 접시	◆いったん	temporarily　暂时　일단 혹은 잠시
◆煮込む	to simmer　炖煮　푹 삶거나 조리는 것	◆仕上げに	as a garnish　起锅之前　마지막 과정에

練習
次の会話文を読んで、後の文から正しいものを選ぼう。　▶答えは次のページの右下

母：あ、玉ねぎも薄く切らないのよ。みんな同じくらいの大きさに切るの。

娘：わかってる。あれ、バターもお肉もないよ。

母：いいのよ。あるもの使えば。切ったら油で炒めて。エビ入れる？

娘：えー、エビはいやだ。ベーコンにしようよ。……炒めたら牛乳入れるの？

母：それはいちばん最後。お水入れて。

娘：……あ、煮立ったら、アクが浮いてきた。

母：ん、それ、すくって捨てて。あ、火は弱くして……ルーは軟らかくなってからよ。

□1　母が料理をして娘に見せている。

□2　母が娘に料理を教えている。

□3　娘は玉ねぎを薄切りにしてしまった。

□4　娘は肉の代わりにエビを使おうと思った。

□5　母は娘にアクの取り方を指示した。

第1週

第2週

第3週

第4週

第5週

第6週

A

■ シチュー（8皿分）

クリームシチューの素	1箱
肉（鶏肉か豚肉）	300g
タマネギ	中2個（500g）
にんじん	½本（150g）
じゃがいも	中2個（300g）
バター	大さじ1
水	900ml（カップ3½杯）
牛乳	200ml（カップ2杯）

おいしい作り方

① 厚手の鍋を熱してバターを溶かし、一口大に切った肉・野菜を焦がさないように炒めます。
※バターのかわりにサラダ油で炒めてもかまいません。

② 水を加え、沸騰したらアクをとります。

③ 材料が柔らかくなるまで弱火で約20分間煮込みます。

④ いったん火を止めてルーを割り入れ、よく溶かします。

⑤ 再び弱火で煮込み、仕上げに牛乳を加えてさらに軽く煮込みます。

B

エビマカロニグラタン

■ 材料〈4皿分〉

ホワイトソースミックス	1袋
マカロニ	1袋
冷凍エビ（解凍しておく）	150g
タマネギ（薄切り）	小1個（150g）
サラダ油	大さじ2
水	400ml（2カップ）
牛乳	300ml（1½カップ）
とろけるチーズ	適量

■調理方法■

① 厚手のなべにサラダ油を熱し、タマネギとエビを焦がさないように炒めます。

② いったん火を止め、ソースミックス・水・牛乳の順に入れてよく混ぜます。

③ マカロニを加えて中火にかけ、かき混ぜながら煮ます。沸騰したら火を弱めて、さらにかき混ぜながら約5分煮ます。

＊マカロニは別にゆでる必要のないよう加工してあります。

④ 耐熱皿に移し、チーズをのせてオーブントースターで5〜6分、焦げ目がつくまで焼きます。

問1 ＡとＢのレシピについて、正しいものはどれか。

1 Ａは20分で作ることができる。

2 Ａは水と牛乳を同時に入れる。

3 Ｂは玉ねぎ以外の野菜を使わない。

4 Ｂはマカロニをゆでなければならない。

問2 ＡとＢの両方について正しいものはどれか。

1 野菜などをまず炒める。　　2 焦げ目をつけないようにする。

3 いろいろな野菜を煮込む。　　4 仕上げに牛乳を使う。

問題（p.21）の答え：問1．**3** 問2．**3**

（左ページの答え→2・5）

身の回りの文書を読もう

まとめの問題

Summary questions　綜合問題　정리 문제

制限時間：20分
1問 25 点×4問
答えは p.29
部分翻訳や解説は別冊 p.3

点数
／100

🔊))) No.05

問題1　右のページは、「森山駅」周辺のホテル情報である。下の文と右ページを読んで、下の問いに対する答えとして、最もよいものを１・２・３・４から一つ選びなさい。

> 田中さんは、今週の土曜日（6月26日）に出張で一晩泊まるホテルを探しています。夜7時半ごろに森山駅に着く予定なので、ホテルは駅から近くて、できるだけ安いのがいいと考えています。また、朝ごはんがついていることを希望しています。

1　リストⅠだけを見た場合、田中さんの条件に最も合うものはどれか。

　　1　A
　　2　B
　　3　C
　　4　D

2　リストⅡも見た場合、田中さんの条件に合うものはどれか。

　　1　ターミナルホテル森山の「【お日にち限定】格安プラン」
　　2　セントラルホテルみどり野の「3連泊出張応援プラン」
　　3　ホテルむらかわの「安さいちばん！　素泊まりプラン」
　　4　ホテルグリーンシティの「レイトチェックインでオトクプラン」

I 森山駅周辺 ホテル情報

※料金には消費税およびサービス料金が含まれています。

	ホテル名	部屋数	1部屋ごとの料金※	チェックIN/OUT	備考（※1）
A	セントラルホテルみどり野	92室	Ⓢ 9,800 ～ Ⓣ 15,000 ～	IN 15:00 OUT 10:00	森山駅徒歩10分 ビジネス・観光に最適
B	ホテルむらかわ	46室	Ⓢ 9,800 ～ Ⓣ 17,000 ～	IN 16:00 OUT 10:00	森山駅徒歩1分
C	ターミナルホテル森山	134室	Ⓢ 12,000 ～ Ⓣ 19,800 ～	IN 15:00 OUT 10:00	森山駅直結で交通至便 全室無線LAN完備
D	ホテルグリーンシティ	110室	Ⓢ 12,000 ～ Ⓣ 19,800 ～	IN 15:00 OUT 10:00	森山駅徒歩3分 ビジネスに最適

＊宿泊施設ごとにお得なプランもございます。詳しくは各宿泊施設または旅行代理店にお問い合わせください。

II 森山駅周辺の宿泊情報（プラン別）

ホテル名	プラン名	部屋タイプ	朝食	料金（1泊・1名あたり）	
ターミナルホテル森山	3連泊（※2）出張応援プラン	シングル	○	9,800円	※このプランは3連泊以上でお申し込みいただけます。
	【お日にち限定】格安プラン	シングル	ー	6,800円	※6月22～25日
セントラルホテルみどり野	ベーシックプラン	シングル	○	9,800円	
	3連泊出張応援プラン	シングル	○	8,000円	※このプランは3連泊以上でお申し込みいただけます。
ホテルむらかわ	安さいちばん！素泊まり（※3）プラン	シングル	ー	9,800円	
	ビジネスプラン	シングル	○	12,000円	
ホテルグリーンシティ	ベーシックプラン	シングル	○	12,000円	
	レイトチェックインでオトクプラン	シングル	○	10,000円	※18時以降のチェックインの場合に限ります。

（※1）備考：その他の情報

（※2）連泊：同じところに続けて泊まること

（※3）素泊まり：食事なしで泊まること

問題（p.23）の答え：問1. 3　問2. 1

問題2 下のハガキは、クリーニング店からのダイレクトメールである。読んで、下の問いに
対する答えとして最もよいものを１・２・３・４から一つ選びなさい。

🔊 No.06

3 正しいのはどれか。

1　９月はクリーニング料金が５％ OFF になる。

2　このセールの始まりは人によって違う。

3　受け取りが３ヵ月先でもいい人は５割引になる。

4　案内状を見せるだけで割引券がもらえる。

4 ワイシャツを３枚とズボンを２本とコート１着をクリーニングに出した場合、何
割引になるか。

1　１割引　　　　　2　２割引　　　　　3　３割引　　　　　4　４割引

衣替え(※1)応援セール！

しろくまクリーニング

５点(※2)までなら　**10% OFF**

６点以上で　**20% OFF**

10 点以上で　**30% OFF**

ゆっくりクリーニング（出来上がりは
９月）は**さらに５% OFF**

【セール期間】本状が届いた日から
20XX 年５月 31 日（日）まで

※本状をご持参ください。セール中ご利用
の方には次回の割引券をプレゼント。

（※１）衣替え：洋服を季節に合わせて替えること

（※２）〜点：クリーニングに出すものの数え方

第**2**週
だい　しゅう

お知らせや通知を読もう
し　　　　　　つうち　　　よ

Let's learn to read various notices!
阅读各种启事和通知书
알림장이나 통지를 읽어 봅시다

第2週
1日目

お知らせ①
しらせ

学習日

月　　日（　）

🌸 決まったパターンに慣れよう①
な

Try to get used to the sentence patterns! ①
习惯固定格式 ①　정형적인 표현에 익숙해집시다 ①

コンサートやリサイタルのお知らせではこんな言葉がよく使われます。
ことば　　つか

◆ リサイタル	a recital　独奏会　리사이틀		◆ 開場 かいじょう	opening of the hall　开场　개장
◆ 開演 かいえん	starting time　开演　개연		◆ 全席自由 ぜんせき じゆう	free seating　不对号入座　전석 자유석
◆ 前売（券） まえうり　けん	a ticket sold in advance 预售（票）　예매（권）		◆ 当日（券） とうじつ　けん	a ticket sold on the day of the performance 当天（票）　당일（권）
◆ 入賞 にゅうしょう	prize-winning　获奖　입상		◆ デビュー	a debut　初次登台　데뷔
◆ 共演 きょうえん	a co-star 合演　공연（함께 출연함）		◆ 公演 こうえん	performance　公演　공연

ぼく、
ギタリストに
なりたい！

練習　次の会話文を読んで、後の文から正しいものを選ぼう。　　▶答えは次のページの右下
つぎ　かいわぶん　よ　　あと　ぶん　ただ　　えら　　　　こた　つぎ　　　みぎした

A：今度、大谷美和のコンサート行かない？　ギタリスト2人とピアニストの4人で
こんど　おおたにみわ　　　　い　　　　　　　　　ふたり　　　　　　　　にん
やるんだって。

B：行く、行く。日本でのコンサートは久しぶりだよね。
い　い　　にほん　　　　　　　　　ひさ

A：うん、パリに住んでいるし、海外での活動のほうがずっと多いらしいよ。
す　　　　かいがい　かつどう　　　　　　おお

B：ふーん。もっと日本でやってくれればいいのに。
にほん

A：そうだよね。あ、今度はクラシックだけじゃなくて、映画音楽や日本の歌もや
こんど　　　　　　　　　　えいがおんがく　にほん　うた
るんだって。

□1　AさんはBさんをコンサートに誘っている。
さそ

□2　大谷美和は今度日本で初めてコンサートを開く。
おおたにみわ　こんどにほん　はじ　　　　　　　ひら

□3　大谷美和は日本国内での活動が少ない。
おおたにみわ　にほんこくない　　かつどう　すく

□4　大谷美和は今度のコンサートでクラシックを演奏しない。
おおたにみわ　こんど　　　　　　　　　　えんそう

□5　Bさんは、大谷美和のコンサートに行きたがっている。
おおたにみわ　　　　　　い

問題 次のお知らせを読んで、後の問いに答えなさい。　▶答えは p.31　🔊 No.07

＊部分翻訳や解説は別冊 p.3

第1週

第2週

第3週

第4週

第5週

第6週

大谷美和 バイオリンリサイタル

曲目：シャコンヌ
Take Five
五木の子守歌 他

20XX 年 7 月 3 日（土）
ヤマセホール

（開場：14:30　開演 15:00）

全席自由　前売 5,500 円　当日 6,000 円

チケット・問い合わせ：大谷音楽事務所（03-XXXX-XXX）
ヤマセホール（03-XXXX-XXX）

（※）推薦：recommendation　推荐　추천

推薦（※）の言葉：高山幸一（音楽評論家）

　大谷美和さんと僕との出会いは彼女がまだパリの音楽院の学生だった頃、オーケストラでの共演がきっかけでした。若さに似合わない高度な技術と美しいバイオリンの響きに驚かされたものです。

　日本の音楽ファンの方は大谷美和といえばクラシックというイメージをお持ちかと思いますが、久しぶりの日本公演となる今回は、ジャズや日本の歌なども弾くとのこと。ギタリスト2人とピアニストと一緒ににぎやかに、ということで彼女のまた違った一面が見られそうです。先日久しぶりに会った彼女は「今から緊張しています」と笑顔で語ってくれました。僕も非常に楽しみにしています。

問1 非常に楽しみにしていますとあるが、何が楽しみなのか。

1　大谷美和が語ること　　　2　大谷美和の笑顔を見ること
3　大谷美和が緊張すること　4　大谷美和のコンサート

問2 どのようなことが書かれているか。

1　コンサートの感想　　　2　コンサートの紹介
3　コンサートの批評　　　4　コンサートの批判

まとめの問題（p.24 ～ p.26）の答え：
問題1　①2　②4　　問題2　③2　④2

（左ページの答え→1・3・5）

お知らせや通知を読もう

お知らせ②
Notice ②
启事 ②
알림 ②

✿決まったパターンに慣れよう② Try to get used to the sentence patterns! ②
习惯固定格式 ②　정형적인 표현에 익숙해집시다 ②

 例えば断水（水道が使えなくなること）のお知らせなら、こんな内容が書いてあります。

◆いつ？　　　　　　　→ 日時を読みましょう！

◆どうすればいい？　　→ 飲み水とか、洗い物をする水をくんでおきましょう！

◆どうして？　　　　　→ 普通は水道の工事のため。災害や水不足による場合もある。
It is usually because of water pipe construction, but could be due to a natural disaster or water shortage.　一般是因为自来水管维修施工。有时也因自然灾害或干旱缺水。
보통은 수도 공사 때문임. 재해나 물부족의 경우도 있음.

◆どんな工事をするの？→ 水道管(a water pipe　自来水管　수도관)を直したり新しいのと取り替えたり。

あれ、水、出ない？

断水のお知らせ

練習 次の会話文を読んで、後の文から正しいものを選ぼう。　▶答えは次のページの右下

> 母親：あ、もう10時だ。あと1時間半だからね。みんなお風呂入ったわね？　今日はお風呂のお湯、捨てないでそのままにしておくから。夜中にトイレに行きたくなったら、バケツにお風呂のお湯をくんでトイレに流してね。飲み水は冷蔵庫にもやかんにも、それから、お鍋にも入ってるし、ペットボトルにも水道の水入れてたくさん置いてあるから。それから……
>
> 息子：もうわかったよ。今夜は早く寝るし、朝4時前になんて起きないし。
>
> 父親：ははは、家中水だらけだな。断水は一晩だけだっていうのに、災害時みたいだ。

☐1　母親は節水をしている。

☐2　母親は断水をしている。

☐3　母親は断水に備えて準備をしている。

☐4　災害のため、水が止まってしまった。

☐5　断水は今夜11時半から翌朝4時までらしい。

問題 次のお知らせ読んで、後の問いに答えなさい。　▶答えは p.33　◀)) No.08

*部分翻訳や解説は別冊 p.3

A

断水のお知らせ

お問い合わせ先：みどり市水道課
(TEL：XXX-123-4567)

　下記の通り、水道管の修理工事を行います。工事に伴い(※1)断水となりますので、水道水のくみ置き(※2)など、お願いします。工事中はご迷惑をおかけすることと思いますが、ご理解とご協力をお願い申し上げます。

　なお、工事終了後、赤く濁った水が出る場合は市水道課までご連絡をお願いします。

記

○工事場所：みどり市緑が丘1丁目大山神社付近
○断水地域：みどり市緑が丘地区
○作業時間：2月20日(木)23時30分〜2月21日(金)4時

B

節水のお願い

　雨不足により、水源(※3)の水位(※4)が低下しています。最悪の場合は断水となる恐れがあります。住民の皆さんには、節水にご協力くださいますようお願いします。

みどり市水道課
(TEL：XXX-123-4567)

（※1）工事に伴い：due to construction　因维修施工　공사로 인하여
（※2）くみ置き：emergency water supply　储存用水　예비로 물을 담아 둠
（※3）水源：the source of a river　水源　수원
（※4）水位：water level　水位　수위 (물 높이)

問1　Aの内容と合っていないものはどれか。

1　水道の工事があるので、必要な水は用意しておいたほうがいい。
2　水道の工事があるのは一晩だけだ。
3　水道の工事中は赤く濁った水が出るかもしれない。
4　水道の工事のため4時間半ぐらい水が出ない。

問2　次の①②に入る正しい組み合わせはどれか。

Aは（①）、Bは（②）と言っている。

1　①水が一時的に出なくなる　②水を大切に使ってほしい
2　①水が一時的に濁る　②水が出なくなるかもしれない
3　①水を大切に使ってほしい　②水をくんでおいてほしい
4　①水が濁るかもしれない　②水源の水位に注意してほしい

問題 (p.29) の答え：問1．4　問2．2

（左ページの答え→3・5）

お知らせや通知を読もう

お知らせ③

Notice ③
启事 ③
알림 ③

✿常識を働かせて必要な情報だけ読み取ろう

Use common sense to select the necessary information!
运用常识，读懂起码应当知道的信息　상식적으로 판단하여 필요한 정보만을 골라 읽어봅시다

例えば日帰り旅行のお知らせにはこんな言葉が出てきます。

◆ いつ？	→ 集合時間と出発時間に注意！
◆ 泊まる？	→ 日帰り (a day trip　一日游　당일 여행)・○泊○日？
◆ 何をする？	→ 海水浴(swimming in the sea　海水浴　해수욕)・バーベキュー (a barbecue　野外烧烤　바비큐) ○○見学 (a visit to ○○　参观○○　○○견학)・ ○○研修 (study and training of ○○　○○培训　○○연수)　など
◆ 費用は？	→ いつ集めるか→申し込むとき／旅行当日(on the day of the trip　旅行当天　여행 당일)
◆ 定員	→ 人数が決まっている場合があります。 ◆ 定員になり次第締め切ります。Applications will be accepted until the position is filled. 名额报满为止。　정원이 차는 대로 접수를 마감합니다.

練習　次の会話文を読んで、後の文から正しいものを選ぼう。　▶答えは次のページの右下

> 生徒：先生、これ、海に遊びに行くっていうお知らせですよね。いいですね。行きたいです！
>
> 教師：じゃあ、早く申し込みをしたほうがいいですよ。40人しか行けませんから。
>
> 生徒：あ、でも、5,500円……今日はありません。明日でも大丈夫ですか。
>
> 教師：大丈夫だと思いますよ。申し込みだけ今日したらいいんじゃない？
>
> 生徒：わかりました。でも、先生、20日は月曜日ですね。月曜日は授業がありますね。
>
> 教師：20日は海の日で休みですから、授業はありませんよ。

□1　二人は旅行会社に来ている。

□2　二人は旅行のお知らせの紙を見ている。

□3　旅行に行く人は授業を休む。

□4　代金は旅行の当日に払う。

□5　参加者が40人になったら、申し込みはできなくなる。

問題 次のお知らせを読んで、後の問いに答えなさい。　　▶答えは p.35　◀)) No.09
つぎ　　し　　　よ　　　あと　　と　　こた

＊部分翻訳や解説は別冊 p.4
ぶぶんほんやく　かいせつ　べっさつ

第1週　第2週　第3週　第4週　第5週　第6週

ニコニコ日本語学校
にほんごがっこう

夏休みバス旅行のお知らせ
なつやす　　　　りょこう　　　し

20XX 年〇月〇日
ねん　がつ　にち

もうすぐ夏休みです！　みなさん、夏休みの計画は立てましたか？
　　　　なつやす　　　　　　　　　　なつやす　けいかく　た

　今年の夏休み日帰りバス旅行は、大島町の白浜海水浴場へ行きます。美しい自然豊か
　ことし　なつやす　ひがえ　　　りょこう　おおしまちょう　しらはまかいすいよくじょう　い　　　うつく　　しぜんゆた
な海水浴場で、遊べるスペースもたくさんあります。海水浴やバーベキューなど、みん
　かいすいよくじょう　あそ　　　　　　　　　　　　　　　　　　かいすいよく
なで楽しみましょう。
　　たの

日　時：20XX 年 7 月 20 日（月）海の日　※小雨決行　大雨中止
にち　じ　　　ねん　がつ　はつか　げつ　うみ　ひ　こさめけっこう　おおあめちゅうし
　　　　　8:50 集合（学校前）　※ 9:00 には出発します。遅れないようにしてください。
　　　　　　　しゅうごう　がっこうまえ　　　　　　　　　しゅっぱつ　　　おく
　　　　　17:30 ごろ学校に到着する予定です。
　　　　　　　　　　がっこう　とうちゃく　よてい
場　所：大島町　白浜海水浴場
ば　しょ　おおしまちょう　しらはまかいすいよくじょう
参加費：1 人 5,500 円　※参加費には交通費・食事代が含まれています。
さんかひ　ひとり　えん　さんかひ　こうつうひ　しょくじだい　ふく
交　通：大型バス 1 台
こう　つう　おおがた　だい
定　員：40 名
てい　いん　　めい

◆ 参加を希望する人は、申込用紙に記入し、参加費といっしょに受付に出してください。
　さんか　きぼう　ひと　もうしこみようし　きにゅう　さんかひ　　　　　うけつけ　だ
◆ 申込締切　7 月 10 日　★ただし、定員になり次第締め切ります。
　もうしこみしめきり　がつとおか　　　　　ていいん　　　しだいし　き

日帰りバス旅行　参加申込書
ひがえ　　　りょこう　さんかもうしこみしょ

問1　参加者が旅行の当日、注意しなければならないことは何か。
　　　さんかしゃ　りょこう　とうじつ　ちゅうい　　　　　　　　　　　なに

　1　お弁当など昼食の準備をすること
　　　べんとう　ちゅうしょく　じゅんび

　2　出発の 10 分前までに集まること
　　　しゅっぱつ　ぶんまえ　　　あつ

　3　参加費を持ってくること
　　　さんかひ　も

　4　申し込みの定員が 40 名になること
　　　もう　こ　　ていいん　　めい

問2　このお知らせの内容と合うものはどれか。
　　　　　し　　　ないよう　あ

　1　急に行けなくなったら参加費は返してもらえる。
　　　きゅう　い　　　　　さんかひ　かえ

　2　参加費のほかに交通費や食事代などがかかる。
　　　さんかひ　　　こうつうひ　しょくじだい

　3　旅行先に泊まらずにその日のうちに帰ってくる。
　　　りょこうさき　と　　　　　ひ　　　かえ

　4　少しでも雨が降ったら旅行は中止になる。
　　　すこ　　あめ　ふ　　　りょこう　ちゅうし

問題（p.31）の答え：問1．**3**　問2．**1**

（左ページの答え→2・5）
　ひだり　こた

4日目

通知①
つうち

Notices ①
通知书 ①
通지 ①

✿メールの形式に慣れよう
けいしき　　な

Let's get used to the proper e-mail format!
习惯电子邮件的格式　전자 메일 형식에 익숙해집시다

```
拝啓　一時下ますます～
はいけい　じか
ABCの山田です。
        やまだ
*********
*********

ご注文内容——————
ちゅうもんないよう
************
——————————

（株）ＡＢＣ　山田太郎
かぶ　　　　　　やまだ たろう
yamada@abc.co.jp ...
```

★メールでは形式的な挨拶などは省略されることが多いです。
　　　　　　けいしきてき　あいさつ　　しょうりゃく　　　　　　おお

Formal greetings are often eliminated in e-mail messages.
电子邮件中常常省略走形式的问候语。 전자 메일에는 형식적인 인사 등이 생략되는 경우가 많습니다.

★普通の手紙では最後に来る所属や名前が、メールの場合は最初に来ます。
　ふつう　てがみ　　さいご　く　しょぞく　なまえ　　　　　ばあい　さいしょ　き

In e-mail, your position and name come first while in a letter, they come at the end.
一般信件多在末尾写明自己的单位或姓名，但写电子邮件时，则在开头写明。
보통 편지에는 마지막 부분에 소속이나 이름을 쓰지만, 전자 메일의 경우에는 첫 부분에 옵니다.

★連絡先や取引の詳細などの情報は普通後ろにまとめてあります。
　れんらくさき　とりひき　しょうさい　　　　じょうほう　ふつううし

Normally the information such as contact info and details of the business transactions are
put together at the end.　一般在其后归纳写明联系地址或交易的详细内容等信息。
연락처나 거래의 상세 내용 등의 정보는, 보통 뒷부분에 정리되어 있습니다.

例えば商品の納品に関するメールならこんな言葉が出てきます。
たと　しょうひん　のうひん　かん　　　　　　　　　　ことば　で

◆ 納品 のうひん	delivery of goods 交货　납품	◆ 遅延 ちえん	delay　推迟 지연（시간이 늦추어짐）	◆ 入荷 にゅうか　arrival of goods　进货 입하（상품을 들여옴）
◆ 発送 はっそう	dispatch of goods 寄送　발송	◆ 納期 のうき	deadline 交货期　납기	◆ 配送 はいそう　delivery　送货　배송

◆ 手配
てはい　arrangements
安排　조정

練習 次の会話文を読んで、後の文から正しいものを選ぼう。　▶答えは次のページの右下
つぎ　かいわぶん　よ　　あと　ぶん　　ただ　　　えら　　　　　　こた　つぎ　　みぎした

A： プリンター来るのが、1週間遅れるんだそうです。18日の午前中……。
　　　く　　　　　　しゅうかんおく　　　　　　　　にち　ごぜんちゅう

B： え？　1週間も？　だったら店に買いに行けばよかったなあ。あれ、18日って、
　　　　　しゅうかん　　　　　みせ　か　　い　　　　　　　　　　　にち
　健康診断でだれもいないんじゃない？
　けんこうしんだん

A： あ、そうでしたね。えっと、午後には戻ってこられると思いますけど、ちょっ
　　　　　　　　　　　　　ごご　　もど　　　　　　　おも
　と時間わからないんですよね。19日にしてもらいましょうか。
　　じかん　　　　　　　　　　　にち

B： いや、早いほうがいいから、夕方とかにしてもらえないの？
　　　はや　　　　　　　　　ゆうがた

A： じゃ、いちばん遅い時間にしてもらいます。
　　　　　　　　おそ　じかん

☐1　プリンターは最初の予定では今日届くはずだった。
　　　　　　　さいしょ　よてい　　きょうとど

☐2　プリンターは19日の遅い時間に届けてもらうことにした。
　　　　　　　にち　おそ　じかん　とど

☐3　ＡさんもＢさんも18日の午前中は会社にいない。
　　　　　　　　　　　　にち　ごぜんちゅう　かいしゃ

☐4　ＡさんもＢさんも19日は午後にしか会社にいない。
　　　　　　　　　　　　にち　ごご　　かいしゃ

☐5　プリンターは最初の予定より1週間遅れて届くことになる。
　　　　　　　さいしょ　よてい　しゅうかんおく　とど

問題 次のメールを読んで、後の問いに答えなさい。　▶答えは p.37　🔊 No.10
＊部分翻訳や解説は別冊 p.4

納品遅延のお詫び
_____

【ＰＣショップ・スマイル】の川田と申します。

この度は当店をご利用いただきまして、ありがとうございます。

ご注文頂きました商品ですが、メーカーの都合で入荷が遅れ、予定通り発送できなくなってしまいましたので、お知らせいたします。

納期より１週間遅れでメーカーから直接配送させていただく予定です。

ご不便・ご迷惑をおかけいたしまして、大変申し訳ございません。

下記のとおり、配送予定を変更手配させていただきましたので、ご確認いただきますよう、お願い申し上げます。

■発送日　５月17日（水）
■お届け日　５月18日（木）　午前中

もし５月18日以降で他にお受け取りのご都合のよろしい日時がございましたら、お手数ですが、このメールに返信でご連絡をお願いします。ご連絡がない場合は、予定通りの発送となります。

問1　商品の受け取りの希望について、<u>正しくないもの</u>はどれか。

1　５月17日以前に希望することはできない。

2　５月17日に希望する場合、夜遅くしかできない。

3　５月18日の午前中に希望する場合、連絡しなくてもよい。

4　５月18日の午後に希望する場合、連絡しなければならない。

問2　このメールの内容からわかることはどれか。

1　今回の商品に送料はかかっていない。

2　商品の受け取り日時の変更はこのメールに返信する。

3　この店は水曜日以外は営業している。

4　商品が１週間遅れるのは、このPCショップの都合である。

問題（p.33）の答え：問1．**2**　問2．**3**

（左ページの答え→3・5）

通知②
つうち

Notices ②
通知书 ②
통지 ②

学習日

月　日（　）

✿改まった手紙の形式を覚えよう
あらた　　てがみ　けいしき　おぼ

Try to remember the format of formal letters!
记住正式信件的格式　격식을 갖춘 편지의 형식을 익혀 봅시다

読み飛ばしてもいい部分
よ　と　　　　　　　ぶぶん

A part you can skip reading
该部分可以略过　건너뛰어도 되는 부분

①始めと終わりの言葉 → 拝啓……敬具・前略……草々　＊始めと終わりに書く
はじ　　お　　　　ことば　　はいけい　　けいぐ　ぜんりゃく　そうそう　　　　はじ　お　　か

②始めの挨拶　　　→ ex. 時下ますますご清栄（ご健勝）のこととお喜び申し上げます。
はじ　あいさつ　　　　　　じか　　　　　　せいえい　　けんしょう　　　　　　　よろこ　もう　あ
　　　　　　　　　　　　I hope this letter finds you well.　○○时节, 谨祝贵体益康健!
　　　　　　　　　　　　건강하시리라 사려됩니다 .(편지 서두에 쓰이는 인사말 .)

③終わりの挨拶　　　→ ex. 今後のご活躍をお祈り申し上げます。
お　あいさつ　　　　　　こんご　　かつやく　　いの　もう　あ
　　　　　　　　　　　　I wish you all the best in your futures.　谨祝事业发展。　앞으로의 활약을 기원합니다 .

重要な部分
じゅうよう　ぶぶん

❶キーワード　→　書類選考（screening of application forms　文件审查　서류 전형）・一次試験・二次試験
　　　　　　　　しょるいせんこう　　　　　　　　　　　　　　　　　　　　　　　　　　　　いちじしけん　にじしけん
　　　　　　　　面接・履歴書（personal history　履历表　이력서）
　　　　　　　　めんせつ　りれきしょ

❷結果　　→　「不合格」「不採用」→だめだった
けっか　　　　ふごうかく　ふさいよう
　　　　　　　「採用」「合格」→二次試験、面接の場所・日時、持っていくものに注意
　　　　　　　さいよう　ごうかく　　にじしけん　めんせつ　ばしょ　にちじ　　も　　　　　　　　ちゅうい

練習 次の会話文を読んで、後の文から正しいものを選ぼう。
つぎ　かいわぶん　よ　　　あと　ぶん　　ただ　　　　　えら

▶答えは次のページの右下
こた　　つぎ　　　　　　みぎした

田中：先輩、就活はどうですか？
たなか　せんぱい　しゅうかつ

森　：ああ、就職活動？　一つ落ちて、一つ受かったところ。
もり　　　　　しゅうしょくかつどう　ひと　お　　　ひと　う

田中：わあ、おめでとうございます！　それ、採用通知ですか。
たなか　　　　　　　　　　　　　　　　　　　さいようつうち

森　：まだだよ。一次が通っただけで、これから二次の面接があるんだから。
もり　　　　　　いちじ　とお　　　　　　　　　　にじ　めんせつ

　　あれ、この日、大学の補講があるんだった。どうしよう。
　　　　　　ひ　だいがく　ほこう

田中：先生にお願いして休ませてもらうとか、会社に別の日にしてもらうとか？
たなか　せんせい　ねが　　　やす　　　　　　　　　かいしゃ　べつ　ひ

□1　田中さんは森さんの後輩である。
たなか　　もり　　こうはい

□2　森さんは就職が決まった。
もり　　しゅうしょく　き

□3　森さんにとって二次試験の日は都合が悪い。
もり　　　　　　にじしけん　ひ　つごう　わる

□4　森さんは補講を休んで面接を受ける。
もり　　ほこう　やす　　めんせつ　う

□5　森さんは面接の日を別の日にしてもらう。
もり　　めんせつ　ひ　べつ　ひ

問題 次の2つの文書は森さんが受け取った就職試験の結果通知である。
読んで、後の問いに答えなさい。

▶答えは p.39　◀)) No.11
＊部分翻訳や解説は別冊 p.4

A

ご応募の結果について

拝啓

　時下、ますますご健勝のことと、お喜び申し上げます。

　このたびは弊社の社員採用試験にご応募いただき、ありがとうございました。

　さて、面接の結果につきまして慎重に協議いたしましたが、残念ながら、今回は不採用とさせていただくことになりました。

　今後のご活躍をお祈り申し上げます。

敬具

B

面接試験のご案内

前略

　先日実施の採用試験の第一次選考に合格されましたので、お知らせいたします。

　つきましては、下記の通り面接試験を実施いたしますので、よろしくお願いいたします。

　なお、お越しになれない場合は、前日までに必ず当社総務部、本田までご連絡ください。

記

1．日　時：20XX年5月20日（木曜日）午前9時30分〜午前11時30分
　　　　　※午前9時より、受付を開始いたします。
2．場　所：○○県みどり市西町3-2-1みどりシティホール1F　小会議室
3．持ち物：本状・筆記用具

以上

問1　AとBに共通して書かれていることは何か。

1　面接試験の結果
2　採用試験の結果
3　面接試験の日程
4　採用試験の日程

問2　Bの通知の内容と合うものはどれか。

1　二次面接に行けない人は、前日に連絡しなければならない。
2　森さんがこの会社に就職できるかどうかはわからない。
3　面接を受ける人は5月20日の9時までに行かなければならない。
4　この会社の面接試験は社内で行われる予定だ。

問題（p.35）の答え：問1. **2**　問2. **2**

（左ページの答え→1・3）

通知③

Notices ③
通知书 ③
통지 ③

🌸遠回しな表現に慣れよう

Let's become familiar with indirect (euphemistic) expressions!
习惯委婉含蓄的表达方式　간접적인 표현에 익숙해집시다

```
*********************
******** 入金の確認が
とれません。********
```
……… 入金の確認がとれない
　　　→ 入金されていない

```
*********************
○○していただければ
幸いです。*********
```
……… ○○してもらえるとうれしいです
　　　→ ○○してください

言いにくいことは
遠回しに言うんです。

支払いに関する表現

◆ 請求書	invoice 帐单 청구서	
◆ 督促状	demand letter 催收信 독촉장	
◆ 催促する	remind 催促 독촉하다	
◆ 行き違い	crossed 错过 엇갈리다	

練習 次の会話文を読んで、後の文から正しいものを選ぼう。　▶答えは次のページの右下

> A： あのさあ、ちょっと聞きたいんだけど、これ、何?
>
> B： え? どれどれ、……あ、これ、督促状じゃない!
>
> A： え? とくそくじょう? 何、それ?
>
> B： 代金がまだだから、早く払えって。
>
> A： え? あれ? インターネットで……クレジットカードで払ったよ。
>
> B： そのときのメールをもう一度確認したほうがいいよ。僕も前にカードで払った
> と思ってたのに、実はコンビニの後払いを選択してて、商品が来たときにその
> 払い込み用紙をうっかり捨ててしまったことがあるから。とにかく、ここに早
> く連絡したほうがいいね。

☐ 1　Aさんはインターネットで買い物をした。

☐ 2　BさんはAさんに貸したお金を早く返してもらいたい。

☐ 3　Aさんはクレジットカードで代金を支払ったと思っている。

☐ 4　BさんはAさんの払い込み用紙を間違って捨ててしまった。

☐ 5　Aさんには、よく督促状が届く。

問題 次の文書を読んで、後の問いに答えなさい。 ▶答えは p.41 ◀)) No.12
＊部分翻訳や解説は別冊 p.4

第1週 第2週 第3週 第4週 第5週 第6週

20XX 年 3 月 7 日

ミシェル・イナムラ様
○○県みどり市南山町 1 丁目 10

大阪府大阪市○○町 4 - 5
（株）エクセレントコーヒー
代表取締役 山口正男
ネット販売担当 竹下 進 ㊞
Tel. 0xx-223-4455

拝啓
　時下、ますます御清栄のこととお喜び申し上げます。いつもご利用ありがとうございます。
　さて、下記のとおりご請求致しました商品の代金につきましてご入金の確認がとれません。改めて請求書をお送りいたしますので、お確かめの上、お支払いいただきますようお願い申し上げます。
　なお、本状と行き違いにお支払い済みの場合はお許しください。

敬具

記

納品年月日	商品名	金額
20XX 年 2 月 7 日	コーヒー豆セット	3,150 円（税込）
	送料	0 円
	ご請求金額	3,150 円

問1 この文書からわからないことはどれか。

1　代金の支払い方法　　2　支払わなければならない金額
3　商品の内容　　4　商品が届いた日

問2 この文書といっしょに送られている文書は何か。

1　督促状　　2　請求書　　3　送信状　　4　納品書

問題（p.37）の答え：問1. **2**　問2. **2**

（左ページの答え→1・3）

まとめの問題

Summary questions 综合问题 정리 문제

制限時間：20分
1問25点×4問
答えは p.45
部分翻訳や解説は別冊 p.5

点数 ／100

問題1 次の２つの文書はどちらも市民講座の案内である。読んで、下の問いに対する答えとして最もよいものを１・２・３・４から一つ選びなさい。 🔊 No.13

1 小学生が週に２回ずつ空手の稽古に通う場合、毎月払うお金はいくらになるか。

  1　1,000円　　　　2　2,000円　　　　　3　3,000円　　　　4　4,000円

2 みどり市のスーパーで働いている 62 歳の女性が習うことができるのはどれか。

  1　空手だけ　　　2　ヨガだけ　　　3　空手とヨガ　　　4　どちらも習えない

空手教室のご案内

　子どもから大人まで、礼儀を身に付け、仲間づくりをしながら心と体を強くします。お年寄りの健康維持、女性の護身術(※)としてもお勧めします。皆で楽しみながら一生懸命稽古しています！　私達といっしょに汗を流しませんか？

  ❖ 稽古日時…（小学生）毎週火・木曜日　16:00 〜 17:15
              ※稽古には何回でも参加できます。
          （中学生以上）毎週水曜日　19:00 〜 20:30

  ❖ 稽古場所…みどり市体育館　トレーニングルーム

  ❖ 参加資格…小学生以上

  ❖ 会費

入会金	無料	
月会費（スポーツ保険料含む）	小学生	2,000円
	中学・高校生	2,500円
	大学生・一般	3,000円

※ 必要な用具は貸し出します。購入も実費で可能です。

※ 見学はいつでもＯＫです。ぜひ一度見学にいらしてください。

                            指導員：大友　修三

（※）護身術：体やいのちを危険から守るための技術

第1週

第2週

第3週

第4週

第5週

第6週

やさしいヨガ講座

― 開講のご案内 ―

ヨガのゆったりとした呼吸で心と体をリフレッシュ！

忙しい毎日の中で心や体が疲れていませんか？

生活習慣で体が曲がったり、ずれたりしていませんか？

そんな体のゆがみを直して、体調をよくする効果もあります。

もちろんシェイプアップ効果も期待できます。

あなたも楽しみながらヨガを始めてみませんか？

● 日時　　　20XX年5月・6月の毎週木曜日（計8回）
　　　　　　PM6:30 ～ 7:30
● 会場　　　みどり市　寺下公民館
● 受講料　　1人あたり3,000円（全8回分、初回全額納入）
● 参加資格　みどり市にお住まい・またはお勤めの18歳以上の方
● 募集人数　20人（応募者多数の場合、先着順）
● 講師　　　ビパシャ・シェラワト先生
● 申込締切　4月20日（火）

お申し込みは寺下公民館（XX-XXXX）まで。

問題（p.39）の答え：問1.　**1**　問2.　**2**

20XX 年 10 月 10 日

会員 No.1003412

田中まき　様

グリーンサポートクラブ

会計　山下　太郎

電話 ***-****-****

会費納入のお願い

前略

　早速ですが、以前よりご通知しておりますとおり、今年度の会費が未納のまとなっております。

　つきましては、今月末日までにお振込みいただきますようお願いいたします。

　期限までにお支払いがない場合、会員規約(※1)9条に基づき、除名の措置を取らせていただきます(※2)ので、ご了承ください。

　万一本状と行き違いでお支払いの場合、失礼をお詫び申し上げます。

（※1）規約：きまり・約束事
（※2）除名の措置を取る：会をやめさせる

3 この文書について正しいものはどれか。

1　会費納入のお願いという通知は初めて来た。

2　この人は3ヵ月分の会費が未納になっている。

3　このまま会費を払わなければ会員ではなくなる。

4　会員は会費を毎月払わなければならない。

4 この文書を受け取った後、　会費はいつまでに払わなければならないか。

1　10 月 10 日

2　10 月 31 日

3　11 月 10 日

4　11 月 30 日

第3週
だい　しゅう

意見文や説明文を読もう
いけんぶん　せつめいぶん　よ

Let's read opinions and explanations!
阅读各种评论文章和论说文
의견문이나 설명문을 읽어 봅시다

意見文や説明文を読もう

意見文①
いけんぶん

Opinions ①
评论文章 ①
의견문 ①

✿ 文末表現に注意！
ぶんまつひょうげん　ちゅうい

Be careful with words/phrases at the end of the sentence!
注意文章末尾的表现形式！문장 끝 부분의 표현에 주의！

こんな表現に注意しましょう！
ひょうげん　ちゅうい

ボクは日本語を
にほんご
マスターしつつある！

ボクは
遊びすぎて
あそ
試験に落ちる
しけん　お
始末だ…
しまつ

①	〜一方だ。 いっぽう 〜つつある。	＝〜の状態だ。 じょうたい Indicates the present condition. 正处于〜状态。　〜하고 있는 상태이다.
②	〜に至る。 いた 〜次第だ。 しだい 〜始末だ。 しまつ	＝〜という結果になった。 けっか Indicates the result or consequences. 造成〜结果。　〜라는 결과가 되었다.

練習 次の会話文を読んで、後の文から正しいものを選ぼう。
つぎ　かいわぶん　よ　あと　ぶん　ただ　えら

▶答えは次のページの右下
こた　つぎ　みぎした

男の人：また病院のミスで患者が死んだんだって。看護師（※1）が患者に間違った薬を
おとこ ひと　　びょういん　　　かんじゃ　し　　　　かんごし　　　かんじゃ　まちが　　くすり
点滴（※2）したらしいよ。
てんてき

女の人：え？　薬の確認は当然するでしょう？
おんな ひと　　　　くすり　かくにん　とうぜん

男の人：確認はしたけど患者の名前が間違って書かれていたんだって。
おとこ ひと　かくにん　　　　かんじゃ　なまえ　まちが　　か

女の人：信じられない。そんなケアレスミス（※3）で人の命が奪われる（※4）なんて……。
おんな ひと　しん　　　　　　　　　　　　　　　　　　ひと　いのち　うば

男の人：ああ、ひどいよね。ニュースにならないミスはもっともっとあるというこ
おとこ ひと
となんだろうね。

（※1）看護師：a nurse　护士　간호사　　　　　　（※2）点滴：an intravenous drip　输液　점적주사（링거액 주사）
かんごし　　　　　　　　　　　　　　　　　　　　　　てんてき

（※3）ケアレスミス：a careless mistake　因疏忽而出错　부주의로 인한 실수

（※4）命が奪われる：to be killed　夺走性命　생명을 빼앗기다
いのち　うば

☐1　患者が死んだのは、病院のせいである。
かんじゃ　し　　　　びょういん

☐2　病院の不注意で、患者が違う薬を飲んでしまった。
びょういん　ふちゅうい　　かんじゃ　ちが　くすり　の

☐3　看護師は薬の確認をしなかった。
かんごし　くすり　かくにん

☐4　女の人は看護師たちが薬の名前を知らなかったことが信じられない。
おんな ひと　かんごし　　　くすり　なまえ　し　　　　　　　　　　しん

☐5　男の人は、病院の不注意はたくさんあると思っている。
おとこ ひと　　びょういん　ふちゅうい　　　　　　　　　おも

問題 次の文章を読んで、後の問いに答えなさい。

▶答えは p.47　◀)) No.15
＊部分翻訳や解説は別冊 p.5

増え続ける医療ミス―――――

　ニュースを見たとたん、思わず「またか！」と声を上げてしまった。病院のケアレスミスで、また一人の患者が死に至った。

　今回のミスは、似た名前の別人に間違った薬を点滴してしまったというものである。ちょっと気をつけて①確認すれば、簡単に避けられるようなミスだ。責任者である院長が、どんなに謝っても失われた命は二度と帰らない。

　最近、このような事故が増える一方である。いや、これは事故ではなく、「殺人」である。よく「人間は間違う動物だ」などと言うが、大切な命を預かる病院で、ケアレスミスは許されないことだ。すべての病院関係者はこのことを②人ごととはせずに重く受け止め(※2)、自分の病院のシステムを見直す努力をしてほしい。

―――――システム(※1)の見直しを！

（※1）システム：a system　体系　시스템

（※2）重く受け止める：to take a matter very seriously　深刻认识　중요하게 받아들이다

問1　①確認すればとあるが、何を確認するのか。

　1　ケアレスミス　　2　患者の状態　　3　点滴の量　　4　患者の名前

問2　②人ごととはせずにとあるが、どういう意味か。

　1　自分には関係ないことと思わないで
　2　人間だけのこととは思わないで
　3　患者だけのこととは思わないで
　4　重要ではないとは思わないで

```
まとめの問題（p.40 ～ p.42）の答え：
問題1  1 2  2 3    問題2  3 3  4 2
```

（左ページの答え→1・5）

意見文②

Opinions ②
评论文章 ②
의견문 ②

学習日

月　日（　）

🌸 カタカナで書かれた言葉に注意！① — 和製英語の場合

Pay attention to "*katakana*" words! ① — Japanese words derived from English.
注意片假名标写的词汇！① — 日式英语的事例　가타카나로 쓰여 있는 말에 주의！① — 일본식 영어의 경우

🐕 例えばこんな言葉が和製英語です。

◆ モーニングコール	a wake-up call
◆ ペーパーテスト	a written test
◆ ペーパードライバー	inexperienced driver
◆ ベビーカー	a baby carriage, stroller, pram
◆ ノートパソコン	a laptop computer
◆ リモコン	a remote-control device
◆ ホットケーキ	pancakes
◆ マナー	manners

★ ほかにもたくさんありますが、これらは外来語ではなく、日本語として考えましょう。

There are other similar words, but let's consider them as Japanese words rather than words of foreign origin.
虽然还有许多词汇，但这些词汇不应该视为外来语，而应作为日语来思考。
그 외에도 많이 있습니다만, 이러한 것은 외래어가 아니라 일본어로 생각합시다.

ベビーカー？
... baby car

練習　次の会話文を読んで、後の文から正しいものを選ぼう。　▶答えは次のページの右下

> A：さっきの人、私たちが子どもをベビーカーに乗せたまま電車に乗ろうとしていたのが気に入らなかったみたい。「たためばいいのに、まったく最近の親は……」って言いながら電車を降りて行ったね。
>
> B：うちの子、重くて……。このベビーカー、軽いといっても、たたんでこの子を抱っこして（※1）、なんて絶対に無理！
>
> A：確かに2台もベビーカーが乗ってくると迷惑かもしれないけれど、私たちだって混んだ時間には乗らないように気を付けているし。
>
> B：そうよ、エレベーターだって、後から来た車イス（※2）の人を優先して（※3）いるし。

（※1）抱っこする：carry in one's arms　抱抱　안다　（※2）車イス：wheelchair　轮椅　휠체어
（※3）優先する：prioritize　优先　우선시하기

- □1　Aさんは、電車の中で子どもを抱っこして乗っていた。
- □2　Bさんのベビーカーは、重くてたたむのが大変である。
- □3　AさんとBさんはベビーカーをたたまないで電車に乗っている。
- □4　Bさんは、エレベーターに乗るとき、車イスの人に先に乗ってもらう。
- □5　Bさんは、エレベーターに乗るときは、ベビーカーをたたむようにしている。

問題 次の文章を読んで後の問いに答えなさい。　▶答えは p.49　◀)) No.16
＊部分翻訳や解説は別冊 p.5〜6

最近は、電車の中でもベビーカーをたたまない親が多い。そういう親に対して、迷惑だといわんばかりににらむ（※1）人がいる。確かに、混んでいる電車では迷惑だということもわかる。しかし、ベビーカーで乗ってくる親たちは、周囲にすまなそうにしていることが多いだろう。ラッシュ時は避けるように、と言われても、どうしても混んだ電車に乗らなければいけないこともあると思う。また、ホームと電車の間にベビーカーの車輪（※2）が引っかかって、危険な時もある。そんなとき、周りの人たちは手助けをしているだろうか。

先日、エレベーターやエスカレーターのない駅で、子どもを乗せたベビーカーを持ち上げながら階段を下りている人がいた。一緒に持ってあげたら、「こんなふうに手助けをしてもらったことがない、本当にありがとうございます。」と何回も感謝された。私は驚いた。こんなふうにしてもらったことはない、と。

確かに、若い親たちのマナーの悪さも問題となっているようだが、電車などの乗り降りの場面だけでなく、周囲（※3）の人が、もう少し優しい気持ちで子育て世代に接することが必要なのではないだろうか。

（※1）にらむ：stare at　瞪眼　쳐다보기　　（※2）車輪：car wheel　车轮　바퀴

（※3）周囲：surroundings　周围　주변

問1　「私は驚いた」とあるが、何に驚いたのか。

1　子どもを乗せたままのベビーカーを持ち上げながら階段を下りていたこと

2　手伝ってあげた人から「こんなふうに手伝ってもらったことがない」と言われたこと

3　最近のベビーカーの利用者のマナーが悪いこと

4　子育て世代に接することが難しいこと

問2　筆者が言いたいことは次のどれか。

1　子育て世代が駅などでベビーカーを利用しやすいように環境を整えたほうがいい。

2　子育て世代は、周りの人たちに迷惑をかけないようにもっと気を付けたほうがいい。

3　子育て世代に、電車や駅でのマナーをもっと教えたほうがいい。

4　周りの人たちは子育て世代にもっと優しく接したほうがいい。

問題（p.45）の答え：問1．4　問2．1

（左ページの答え→3・4）

第3週

3日目

意見文③
いけんぶん

Opinions ③
評論文章 ③
의견문 ③

意見文や説明文を読もう

学習日

月　日（　）

✿筆者が最も言いたいことを理解しよう
ひっしゃ　もっと　い　　　　　　　　りかい

Try to understand what the author wants to say most!

理解笔者最想表达的意思　글쓴이가 가장 말하고 싶어하는 것을 알아내 봅시다

何が
言いたいのー!?
なに
い

≧‖＠％＋＊＆
￥？＃＄♀※

筆者の言いたいことを読み取るときは……
ひっしゃ　い　　　　　　　　よ　と

一般的な意見
いっぱんてき　いけん

常識
じょうしき

自分の気持ち
じぶん　　きも

★常識や一般的意見ではなく、筆者が文章の中でいちばん言いたいこ
　じょうしき　いっぱんてきいけん　　　　　　　ひっしゃ　ぶんしょう　なか　　　　　　　い
とを考えましょう。
　　かんが

Think about what the author really wants to say and try to go beyond commonly shared opinions.

不要顾及常识或一般性意见，而是应考虑笔者在文章中最想表达的意思。

상식이나 일반적인 의견이 아니라, 글쓴이가 글에서 가장 말하고 싶어하는 것을 생각해 봅시다.

練習 次の会話文を読んで、後の文から正しいものを選ぼう。　　▶答えは次のページの右下
つぎ　かいわぶん　よ　　　　あと　ぶん　　ただ　　　　　　えら　　　　　　　こた　つぎ　　　　みぎした

A：近ごろ、この辺も物騒（※1）になってきたね。
　　ちか　　　　　へん　ぶっそう

B：本当に。この間もコンビニ強盗（※2）があったしね。
　　ほんとう　　　あいだ　　　　　　ごうとう

A：あの犯人の高校生、家はお金持ちでお金には不自由していなかった（※3）らしいよ。
　　はんにん　こうこうせい　いえ　かね も　　　かね　　ふ じゆう

B：じゃ、どうしてそんなことしたのかな。

A：ただスリルを味わいたかった（※4）んだって。
　　　　　　　あじ

B：え？　そんな理由ってないんじゃないの？（※5）
　　　　　りゆう

（※1）物騒：dangerous　治安不好　안전하지 않음　　（※2）強盗：burglary　抢劫　강도
　　　　ぶっそう　　　　　　　　　　　　　　　　　　　　　　　　ごうとう

（※3）不自由しない：to have enough money　不愁吃不愁穿　부족함을 느끼지 않는다 혹은 군색하지 않다
　　　　ふ じゆう

（※4）スリルを味わう：to enjoy a thrill　体验惊险刺激　긴장감을 즐기다
　　　　　　　　あじ

（※5）そんな理由ってないんじゃないの？：そんな理由は理由として変だと思う。
　　　　　　りゆう　　　　　　　　　　　　　　　　りゆう　りゆう　　　　へん　おも

☐1　最近この近くは危険な出来事が多い。
　　　さいきん　ちか　　きけん　できごと　おお

☐2　コンビニ強盗の犯人はまだ捕まっていない。
　　　　　　ごうとう　はんにん　　　つか

☐3　犯人の高校生はお金持ちの家に強盗に入った。
　　　はんにん　こうこうせい　かね も　　いえ　ごうとう　はい

☐4　犯人はお金が目的でコンビニ強盗をした。
　　　はんにん　かね　もくてき　　　　　ごうとう

☐5　犯人はスリルを楽しむためにコンビニ強盗をした。
　　　はんにん　　　　　たの　　　　　　　　ごうとう

48　Week 3：Let's read opinions and explanations!

問題 次の文章を読んで、後の問いに答えなさい。　▶答えは p.51　◀)) No.17

＊部分翻訳や解説は別冊 p.6

　日本のことわざに「盗人にも三分の理」というのがある。この場合、「三分」は10分の3、「理」は物事の理由を表す。つまり「たとえ泥棒であっても30％くらいは納得のできる理由がある（だから、どんなことにも無理に理由をつけることはできる）」という意味だ。

　ところが①近ごろの犯罪はどうだろう。

　何の不自由もなさそうな普通の少年少女が、特に欲しくもないものを万引きしたり（※1）、ただ退屈だからという理由で物を壊したりする。「なぜそういうことをした」と聞いても、彼らは「別に」「なんとなく」などと答えることが多い。先日のコンビニ強盗した高校生も、ただスリルを楽しむためにやったということだ。また、最近は「騒ぐな」というような言葉もなく、いきなり暴行（※2）し、金などを奪う犯罪も多い。これなどは被害者をまったく人間扱いせず、効率（※3）のみを考えたやり方である。

　「理」などというものは、どこを探しても「三分」どころか、（　②　）。

（※1）万引きする：to shop-lift　扒窃　물건을 훔치다　（※2）暴行する：to assault　施暴　폭행을 하다

（※3）効率：efficiency　效率　효율

問1　筆者が①近ごろの犯罪について最も言いたいのはどれか。

1　昔とは違って、今は理由のない犯罪が多い。
2　昔とは違って、今の犯罪者はお金が目的ではない。
3　昔に比べて、今は強盗や殺人などの犯罪が多い。
4　昔に比べて、今の犯罪者は普通の若者が多い。

問2　（　②　）に入る言葉として最も適当なものはどれか。

1　1％くらいはあると言えるだろう
2　1％くらいは見つかるかもしれない
3　まったく見つからないのである
4　まったくないとは言えないのである

問題（p.47）の答え：問1.　**2**　問2.　**4**

（左ページの答え→1・5）

意見文④

Opinions ④
评论文章 ④
의견문 ④

学習日

月　日（　）

✿問われている部分に焦点を当てて読もう

Try to focus on the main ideas as you read!
找准并阅读议论的核心部分
묻고 있는 부분에 촛점을 맞추어 읽어 봅시다

例えばこんなことを問われたら？

◆ ○○なのはなぜか。　→　◆理由を表す部分を探そう！　→　……であるから、○○だ。

◆ 何が△△なのか。　→　◆指示語のさす部分を探そう！　→　……。それは△△だ。

問いから読んで
早く答えを探す
読み方です。

この子、
かわいいなぁ

練習　次の会話文を読んで、後の文から正しいものを選ぼう。　▶答えは次のページの右下

妻：もう、まったく、あの子ったら、毎日だらだらと過ごして……しょうがないん
だから。パパからも叱ってよ。今からきちんと勉強しておかないと！ ほんと、
もったいない。私があの子だったらと思うけどな。若い時は二度ないんだし。

夫：あいつはあいつでちゃんと考えているさ。それより、君はどうなの？

妻：え？ 私？ 私はもう……。

夫：もう、何？ 終わったと思ってるの？ 若いときだけが大事だとか思ってないよ
ね。俺たちだって同じだよ。ただ毎日を忙しく過ごせばいいってわけじゃない。
勉強したり、楽しんだり、泣いたり笑ったりしないと。人生にはその年その年
で特有の(※)喜びや悲しみがあるんだから。だから、あいつにも今をただ老後の
準備にはしてほしくないね、俺は。

(※) 特有の：unique　特有的　특유한

□1　妻は若い人は若い時を大事に過ごすべきだと思っている。

□2　夫は大事に過ごすのは中年も老年も同じだと思っている。

□3　妻は老後をどう過ごすかが大事だと思っている。

□4　夫は子どもにあまり勉強してほしくないと思っている。

□5　妻は子どもより自分と夫の老後のことを心配している。

問題 次の文章を読んで、後の問いに答えなさい。 ▶答えは p.53 🔊 No.18

＊部分翻訳や解説は別冊 p.6

若い時は二度ない——と言う。だから、若い時代を大事にせよ、といった意味である。

（中略）たしかに若い時は一度しかないが、中年だって、老年だって一度しかないのである。われわれは若い時代を大事にすべきであるが、同様に中年を大事にすべきであるし、老年を大事にしなければならない。①若い時代だけを特別視する必要はないのである。

（中略）人生のそれぞれの段階には、それぞれに違った人生のこく（※1）がある。わたしはそう思っている。わたしたちは、それぞれの段階に特有な人生の喜びと悲しみを味わいながら生きたい。

にもかかわらず、どうして若い時代だけが特別視されるのか!? わたしには不思議である。思うに、人々は若い時代を準備段階と考えているようだ。若い時にしっかりと学問や体験の蓄積をしておかないと、後になって困る。だから、若いうちから遊びほうけて（※2）いてはいけない。と、結局は、若者に自制と禁欲（※3）を呼びかけているのである。

でも、わたしは、②それはまちがいだと思う。若い時代に、若い時代に特有の人生の喜び・悲しみを体験しておかないと、中年や老年になって、その段階での人生の喜び・悲しみが味わえない。若い時代は決して準備段階ではない。若者はそのことを銘記すべき（※4）である。

（ひろさちや『まんだら人生論（下）』読売新聞社）

（※1）こく：richness　丰厚　풍요로움
（※2）遊びほうける：to play around and not work　沉迷于玩乐　노는 데 정신이 팔리다
（※3）自制と禁欲：self-control and abstinence　自制和禁欲　자제와 금욕
（※4）銘記する：to engrave　牢记在心　명심하다

問1 ①若い時代だけを特別視する必要はないとあるが、それはなぜか。

1 老年のほうが人生のよさがあるから。

2 自分が皮肉屋だから。

3 若い時代と同様に、中年、老年も大事だから。

4 若いときは一度しかないから。

問2 ②それはまちがいだと思うとあるが、何がまちがいであると思うのか。

1 若いうちから遊びほうけること

2 若い時代にしっかりと学問や体験の蓄積をすること

3 若い時代を特別視しないこと

4 若者に自制と禁欲を呼びかけること

問題（p.49）の答え：問1. **1**　問2. **3**

（左ページの答え→1・2）

意見文や説明文を読もう

説明文①
せつめいぶん

Explanatory Notes ①
论说文①
설명문①

✿指示語に注意！①
　しじご　ちゅうい

Pay attention to demonstratives! ①
注意指示代词! ①　지시어에 주의! ①

前の内容を指す場合が多いです。例えば…
　まえ　ないよう　さ　ばあい　おお　　　　たと

もうすぐサクラが咲く。これを楽しみにしている人は多い。
　　　　　　　　　さ　　　　　たの　　　　　　　　ひと　おお

◆ 内容が一文だけでなく長い場合もある。
　ないよう　いちぶん　　　　　　なが　ばあい

サクラが咲くと酒が飲める。ぼくには花の美しさよりそれのほうが楽しみなのだ。
　　　　さ　　さけ　の　　　　　　　　はな　うつく　　　　　　　　　　たの

◆ すぐ前といっても、「花の美しさ」ではないことは内容から考える。
　　　まえ　　　　　　　はな　うつく　　　　　　　　　　　ないよう　　かんが

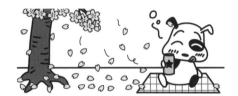

前じゃない場合もあるよ。
まえ　　　　ばあい
それはまたあとで。
（第4週5日目）
　だい　しゅう　　か　め

練習 次の会話文を読んで、後の文から正しいものを選ぼう。
　　　　つぎ　かいわぶん　よ　　　　あと　ぶん　　ただ　　　　　　えら
▶答えは次のページの右下
　こた　　つぎ　　　　　　みぎした

男の人：　あれ、このビルは喫煙室（※1）がないんだね。吸えるところがどんどん減っ
おとこ　ひと　　　　　　　　　きつえんしつ　　　　　　　　　　す　　　　　　　　　　　　　　　　へ
　　　　　ちゃって、居心地悪く（※2）なったよな。道路でも吸ったら罰金（※3）取られるっ
　　　　　　　　　　いごこちわる　　　　　　　　　　どうろ　　す　　　　ばっきん　と
　　　　　ていうし。喫煙者はつらいよ。
　　　　　　　　　きつえんしゃ
女の人：　じゃ、やめちゃえばいいじゃない。どんどん値上がりしているんでしょ。
おんな　ひと　　　　　　　　　　　　　　　　　　　　　　　　ね　あ
　　　　　体に悪いし、それに、周りの人にとっても迷惑だし。
　　　　　からだ　わる　　　　　　　まわ　ひと　　　　　　めいわく
男の人：　……。でも、だったら、酔っ払いだって迷惑だと思うんだけどなあ。
おとこ　ひと　　　　　　　　　　　　よ　ぱら　　　　めいわく　おも
女の人：　お酒より絶対に迷惑。煙は、いやでも私たちの体に入ってくるんだから。
おんな　ひと　　さけ　ぜったい　めいわく　けむり　　　　　わたし　　　からだ　はい

（※1）喫煙室：smoking room　吸烟室　흡연실
　　　きつえんしつ
（※2）居心地（が）悪い：to feel uncomfortable　感觉不舒服　마음이 편하지 않은　　（※3）罰金：a fine　罚款　벌금
　　　いごこち　　わる　　　　　　　　　　　　　　　　　　　　　　　　　　　　　　　　　　ばっきん

☐1　このビルには、タバコを吸う部屋がない。
　　　　　　　　　　　　　　す　へや

☐2　男の人は道路でタバコを吸って罰金を払った。
　　　おとこ　ひと　どうろ　　　　　す　　ばっきん　はら

☐3　女の人は男の人にタバコをやめるように勧めている。
　　　おんな　ひと　おとこ　ひと　　　　　　　　　　すす

☐4　男の人は、喫煙者は酔っ払いほど迷惑をかけていないと言っている。
　　　おとこ　ひと　　きつえんしゃ　よ　ぱら　　めいわく　　　　　　　　　い

☐5　女の人は、酔っ払いより喫煙者のほうが迷惑だと思っている。
　　　おんな　ひと　　よ　ぱら　　　きつえんしゃ　　　　めいわく　　おも

問題 次の文章を読んで、後の問いに答えなさい。　▶答えは p.55　🔊 No.19

＊部分翻訳や解説は別冊 p.6 〜 7

　近年（※1）、日本では「禁煙」が当たり前になりつつある。電車やホテル、公共施設（※2）などでも禁煙になっているところがほとんどである。会社でも喫煙できるスペースは年々なくなってきている。また、路上でタバコを吸えば罰金を払わなければいけない地域も多い。

　喫煙者はこれをかなり不満に思っていて、なぜ酒はよくてタバコはダメなのかと反論（※3）をする。しかし、よく考えればやはり①その違いは明らかである。酔っ払いが周りに迷惑をかけることはあっても、酒そのものが周囲の人の体に直接影響を与えることはない。それに対して喫煙にはやっかいな（※4）煙が付き物（※5）だ。タバコの先から出る煙は空気中に広がる。つまり、煙は周囲の人々の肺（※6）にも入るのである。

　「タバコ臭い」とか「煙い」ということより、②これが喫煙者が嫌われる大きな理由である。

（※1）近年：recently　近年来　최근의 몇 년
（※2）公共施設：a public place　公共设施　공공시설
（※3）反論：to refute/object　反驳　반론
（※4）やっかいな：cumbersome　烦人的　다루기가 까다로운
（※5）付き物：something which comes with it　附属物　으레 따르게 마련인 것
（※6）肺：a lung　肺　폐

問1　①その違いとは何の違いか。

1　禁煙と罰金　　　　　　　　2　煙と臭い

3　酒とタバコ　　　　　　　　4　酔っ払いと喫煙家

問2　②これとは何を指しているか。

1　タバコを吸うこと

2　タバコが臭く、煙いこと

3　タバコの煙が周りの人の健康を害すること

4　タバコを吸える場所が狭くなっていること

問題 (p.51) の答え：問1. **3**　問2. **4**

（左ページの答え→1・3・5）

説明文②
せつめいぶん

Explanatory Notes ②
论说文 ②
설명문 ②

🌸「ない」が入った文末表現に注意！
はい　　　　　ぶんまつひょうげん　ちゅうい

Pay attention to the sentences with「ない」at the end!
注意句尾有「ない」的表达形式！
문장 끝에「ない」가 있는 표현에 주의！

例えばこんな表現があります。
たと　　　　　ひょうげん

◆ 〜とは限らない かぎ	（＝〜ないかもしれない）	... is not necessarily the case 不一定〜　〜이 / 가 아닐지도 모른다
◆ 〜にすぎない	（＝〜だけだ）	only... 不过是〜　〜일 뿐이다
◆ 〜に相違ない そうい	（＝きっと〜だ）	must be... 一定是〜／肯定是〜　〜임에 틀림없다
◆ 〜にほかならない	（＝確かに〜だ） たし	is certainly ... 确实是〜　틀림없이 〜이다
◆ 〜かねない	（＝〜しそうだ）	could be … (literally: ... is not impossible) 也许〜　〜할 것 같다
◆ 〜わけにはいかない	（＝〜できない）	cannot be …　不可能〜　〜할 수는 없다

ほかにも
たくさん
あるよ！

練習 次の会話文を読んで、後の文から正しいものを選ぼう。　▶答えは次のページの右下
　　　つぎ　かいわぶん　よ　　　あと　ぶん　ただ　　　　　えら　　　　こた　つぎ　　　　みぎした

A：あ、この地球儀(※1)、おもしろいね。でこぼこしている(※2)。
　　　　　ちきゅうぎ

B：そう、山のところは出っ張って(※3)いるんだ。でもね、これ変だよ。だって、地
　　　やま　　　　て　ば　　　　　　　　　　　　　　　へん　　　　　　　　　ち
　　球の大きさから考えると、国際宇宙ステーション(※4)だってこの地球儀の表面か
　　きゅう　おお　　　かんが　　　こくさい　うちゅう　　　　　　　　　　ちきゅうぎ　ひょうめん
　　ら１センチぐらいしか離れていないところを回っていることになるんだよ。こ
　　　　　　　　　　　はな　　　　　　　　まわ
　　の山なんて１センチ以上出ている。だから変なんだよ。つまり、正しい地球儀
　　　やま　　　　　　　いじょうで　　　　　　へん　　　　　　　ただ　ちきゅうぎ
　　はツルツルでなければいけないんだよ。

（※1）地球儀：a globe　地球仪　지구본
　　　ちきゅうぎ

（※2）でこぼこしている：to have an uneven surface　凹凸不平　울퉁불퉁하다　（⇔ツルツルしている）

（※3）出っ張る：to stick out　突出　튀어나오다
　　　で　ば

（※4）国際宇宙ステーション：an international space station　国际空间站　국제 우주 정거장
　　　こくさい　うちゅう

☐１　この地球儀は丸くない。
　　　ちきゅうぎ　まる

☐２　この地球儀の表面はツルツルしていない。
　　　ちきゅうぎ　ひょうめん

☐３　この地球儀は山の位置が間違っている。
　　　ちきゅうぎ　やま　いち　まちが

☐４　この地球儀では山は１センチでなければいけない。
　　　ちきゅうぎ　　　やま

☐５　この地球儀は実際の山の高さを正しく表していない。
　　　ちきゅうぎ　じっさい　やま　たか　　ただ　　あらわ

問題 次の文章を読んで、後の問いに答えなさい。 ▶答えは p.57 🔊 No.20
＊部分翻訳や解説は別冊 p.7

でこぼこの地球儀

国際宇宙ステーションは地表(※1)から約 400 キロ上空に位置し、地球の周りを 1 周約 90 分というスピードで回っています。そこから青く光る地球を見たとき、人はどんな気持ちがするのでしょうか。考えただけでもわくわくします(※2)。

ところで、この距離は地球の大きさからいってどのぐらいでしょうか。地球の直径は、およそ 12,700 キロ。地表から 400 キロのところというのは 1 センチとちょっとということになります。これでは、ほとんど地球の表面と変わりません。つまり、国際宇宙ステーションへ宇宙旅行といっても、地球の規模(※3)から見ると、①地上と変わらないところを回っているにほかならないのです。

このことから考えると、海や山を表現したでこぼこした地球儀がありますが、これは全く正しくないことがわかります。地球でいちばん高いエベレスト山も 30 センチの地球儀では高さはわずか 0.2 ミリにすぎません。つまり正しい地球儀は②ツルツルでなければならないのです。

(※1) 地表：the surface of the earth 地表 지구의 표면
(※2) わくわくする：to be excited 興奮不已 두근두근하다 　　(※3) 規模：a scale 規模 규모

問1 ①地上と変わらないところを回っているにほかならないとあるが、どういう意味か。

1 ほとんど地表といっていいところを回っているだけだ
2 地球上の変化のないところを回っているだけだ
3 地球の表面を回っているわけではない
4 地面と同じ場所を回っているわけではない

問2 ②ツルツルでなければならないとはどういう意味か。

1 でこぼこしていてはおかしい
2 よく回転するようにしなければならない
3 でこぼこが逆でないとおかしい
4 きれいに磨かなければならない

問題（p.53）の答え：問1. **3** 問2. **3**

（左ページの答え→2・5）

まとめの問題

Summary questions　综合问题　정리 문제

制限時間：20分
1問25点×4問
答えは p.61
部分翻訳や解説は別冊 p.7 ～ 8
点数
／100

問題1 次の文章は「相談者」からの相談と、それに対するＡとＢからの回答である。三つの文章を読んで、後の問いに対する答えとして、最もよいものを１・２・３・４から一つ選びなさい。

🔊 No.21

相談者：

　うちの子は小学校に入ってから、ご飯を食べる前に「いただきます」と言うようになりました。うちではそんなことを教えていなかったのに、学校で給食(※)のときにみんなで言わされているようなのです。「いただきます」だなんて、食べ物を学校からもらっているわけではありません。ちゃんと給食費を払っているのに、なぜそんなことを言わされなければならないのか、私にはわかりません。給食費を払っていない家庭があるそうですから、そういう家の子にだけ「いただきます」と言わせればいいんじゃないかと腹立たしく思います。学校に抗議しようと思っているのですが、私は間違っていますか。

（※）給食：学校などで準備される食事

回答者：Ａ

　「いただきます」の意味をご存じないとは驚きました。確かに、人から何かをもらったときに「ありがとうございます。いただきます。」というふうにも言いますが、それとは違います。私たちは植物や動物の命をいただいて自分の命をつないでいます。ですから、食べる前にその感謝の心を表すために「いただきます」というのです。お金を払っているかどうかという問題ではないのです。学校が強制的に(※)「いただきます」と言わなければ絶対にいけないと言わない限り、抗議するほうが間違っていると思います。

　まずは、あなたが「いただきます」の本当の意味を理解すべきでしょう。

（※）強制的に：無理やり

回答者：B

　あなたの家では食べるときに何も言わないのですね。それはそれで構わないと思いますが「いただきます」は挨拶ですから、学校で、「おはようございます」「さようなら」などと同じように言うのは普通のことです。給食費を払っているかどうかとは関係ないのです。

　うちでは「いただきます」とみんな言います。本来は食べ物をいただける感謝を表した表現だと思いますが、どちらかというと、料理を作ってくれた人や食べ物を用意してくれた人への感謝の気持ちが自然にわいてくることが多いと感じます。そういう意味でも挨拶というのは悪くない習慣だと思いますし、あなたも挨拶だと思えば腹も立たないのではないでしょうか。

1 相談者は、「いただきます」の意味をどう理解しているか。

　1　学校で給食を食べる前に言う挨拶の表現である。

　2　人からいただいたものに対して感謝する表現である。

　3　給食費を払わない場合に言う挨拶の表現である。

　4　料理を作ってくれた人に対して感謝する表現である。

2 相談者の相談に対するA、Bの回答について正しいのはどれか。

　1　Aは相談者が「いただきます」の意味を理解していないことに驚き、Bは相談者がその表現を使わないことに驚いている。

　2　Aは強制的に「いただきます」を言わせる学校に抗議すべきだと言い、Bは挨拶だと考えて抗議しないほうがいいと言っている。

　3　AもBも、食事の前にする「いただきます」という表現の意味を相談者が正しく理解すべきだと言っている。

　4　AもBも、食事の前の「いただきます」という挨拶を家でも学校でも子どもにもさせるべきだと言っている。

問題（p.55）の答え：問1．**1**　問2．**1**

問題2 次の文章を読んで、後の問いに対する答えとして最もよいものを１・２・３・４から一つ選びなさい。

🔊 No.22

「文楽」をご存じですか。歌舞伎のような物語を人形に演じさせる日本の伝統芸能の一つです。人形をつかうと言っても子ども向けではありません。文楽の舞台は、人形を操る（※1）「人形つかい」、三味線という楽器を演奏する「三味線」、そして物語を説明する「太夫」の３つのパートから成ります。

「人形つかい」はひとつの人形を３人で操ります。頭と右手を担当する人がリーダーとなって、足担当の人と左手担当の人に合図し、細かい指示を出して人形を動かします。「三味線」は演奏するというより、一つ一つの音を深く響かせて（※2）人形の気持ちを表します。また、「太夫」はただ物語を読み上げるのではなく、独特の声や話し方で人形の心情を表現し、観客に語りかけます。どのパートを担当するにも高い技術が求められ、長年の修行（※3）を要します。

文楽の魅力は、演じるのが人形だという点にあると言われています。生きている人間のように動く人形が喜び悲しむのを見て、観客は人形の生きる世界に引き込まれていくのでしょう。

（※1）操る：動かす　　　　（※2）響かせる：音が遠くまで伝わるようにする
（※3）修行：トレーニング

---

3 この文章は何について書いてあるか。

1　文楽の舞台の構成と魅力
2　日本の三大伝統芸能について
3　文楽の人形づくりの技術と苦労
4　人間と人形の演じ方の違い

4 この文章の内容として正しいものはどれか。

1　文楽は歌舞伎を子ども向けに人形に演じさせるものである。
2　三味線や太夫に比べ、人形つかいには高い技術と長年の修行が必要だ。
3　文楽とは、人間が人形のように動いて深い心情を表現する芸能である。
4　文楽は演じるのが人間ではなく人形であることに意味も魅力もある。

エッセイや小説を読もう
しょうせつ　　　　よ

Let's read essays and novels!

阅读各种散文和小说

수필이나 소설을 읽어 봅시다

エッセイや小説を読もう

エッセイ①
Essays ①
散文 ①
수필 ①

✿答えが書いてある部分を見つけよう
Let's focus on locating the answers!
从字面上寻找答案　답이 써 있는 부분을 찾아봅시다

 **例えば問いが次のような場合**

◆ ○○とは何のことか。　　　　→ ……。それは、○○のようのものであった。

◆ △△したのはいつか。　　　　→ ……ころが△△したといえるのかもしれない。

◆ 何のために××したのか。　　→ ……ためにしか××しなかった。

問いを先に読むと、早く答えが見つけられるね！

問いの○○、△△、××を探すと、近くに答えの「……」が見つかります。

練習　次の会話文を読んで、後の文から正しいものを選ぼう。　　▶答えは次のページの右下

娘：最近、本を読まなくなったなあ、私。

母：え？　いつも読んでいるじゃないの。

娘：ああ、仕事関係の本ばかりなの。そういう、必要にせまられて（※）っていうのは違うでしょ。中学のころからかな、こんなふうになったのは。レポート書くためとか。子どものころは本当にただ本を読んでいたのにね。楽しかったなあ……。

母：そうね、うれしそうに、よく図書館に通っていたわね。あんまり買ってやれなかったしね。

（※）必要にせまられて：out of necessity　迫于无奈　필요해서 어쩔 수 없이

☐1　娘は大人になってから本を読んでいない。

☐2　母は娘が子どものころ、よく本を買ってやった。

☐3　娘は中学のころ、よく好きな本を読んで楽しんだ。

☐4　母は、娘が子どものころ、図書館で働いていた。

☐5　娘は子どものころの読書が楽しかったと思っている。

問題 次の文章を読んで、後の問いに答えなさい。　▶答えは p.63　🔊 No.23

＊部分翻訳や解説は別冊 p.8

子どものころ、よく図書館へ行って本を借りたものだ。自分では楽しんで本を読んでいるという意識はなかった。読み終えた本を返しに行くと、そこに当然のことだが未知の本があり、それをまた借りる、ということを繰り返していたのだ。中学に入学したころからは、学校のレポート提出などのためにしか本を読まなくなった。それは<u>一種の作業のようなもの</u>であった。社会人になってから、読みたい本ぐらいはいくらでも買えるようになったが、仕事がらみ(※)で必要にせまられてのことが多い。今思うと、図書館通いをしていたあのころが、ほんとうに読書を楽しんでいたと言えるのかもしれない。

（※）仕事がらみ：work related　工作关系　일 관계상

問1　<u>一種の作業のようなもの</u>とは何のことか。

1　社会人になって本を買うこと
2　学校でレポートを提出すること
3　レポート提出のために本を読むこと
4　図書館で本を借りたり返したりすること

問2　筆者がほんとうに読書を楽しんでいたと思われるのはいつか。

1　子どものころ
2　子どものときからずっと今も
3　中学生のころ
4　仕事をするようになってから

まとめの問題（p.56 ～ p.58）の答え：
問題1　①2　②3　　問題2　③1　④4

（左ページの答え→5）

エッセイや小説を読もう

エッセイ②

Essays ②
散文 ②
수필 ②

学習日

月　日(　)

🌸 実際に起きたことかどうか考えよう

Try to understand what actually happened!
想想事情是否已经实际发生
실제로 일어난 일인가 아닌가를 생각해 봅시다

 実際にはしなかった過去の仮定

もしあの飛行機に乗っていたら、 事故にあっていただろう。

⬇　　　　　　　　　　⬇

実際は飛行機に乗っていない　　実際は事故にあっていない

乗らなくて
よかったね！

あのときもっと勉強していたら、今ごろ博士になっていただろう。

⬇　　　　　　　　　　⬇

実際は勉強が足りなかった　　実際は博士になっていない

練習 次の会話文を読んで、後の文から正しいものを選ぼう。　　▶答えは次のページの右下

学生：先生、日本人はだれかがくしゃみしても、Bless you とか言わないんですよね。

教師：「だれかが噂している」と言うことはありますが、特に何も言いませんね。でも、この間読んだ本によると、沖縄では子どもがくしゃみをすると、そばにいる人が何か言うらしいですよ。それを言わないと子どもが幽霊に連れて行かれるとか。

学生：へぇー、日本語にも Bless you にあたる表現があったんですね。

教師：沖縄だけでなく、『徒然草』という古い本には、「くさめくさめ」と言う、言わないと死んでしまう、と書いてあるそうです。「くさめ」は「くしゃみ」のことですね。

☐1　日本では、くしゃみをすると「だれかが噂をしている」と言わなければならない。

☐2　日本にはだれかがくしゃみをしたときに言う「Bless you」に当たる表現はない。

☐3　昔、日本ではくしゃみをすると悪いことが起こると信じられていた。

☐4　昔だけでなく今でも沖縄では、くしゃみをすると悪いことが起こる。

☐5　この先生も最近まで、沖縄のくしゃみについての習慣を知らなかった。

問題 次の文章を読んで、後の問いに答えなさい。 ▶答えは p.65 🔊 No.24

＊部分翻訳や解説は別冊 p.8

「日本人はだれかがくしゃみをしても、何も言わないんですか。」

もし、こんな質問を教室でされていたら、なんと答えていただろう。そういう習慣はありませんね、と簡単に答えてしまっていただろう。つまり、英語の "Bless you!" に当たるようなものがないのか、という質問だ。日本にもちゃんとそういう習慣が過去にあり、さらに現在でも沖縄に残っていることを知ったのは、つい最近のことだ。

沖縄では子どもがくしゃみをすると、そばにいる人が「クスクェー」と言うらしい。言わないと子どもが幽霊に連れて行かれるという言い伝え（※1）によるものだそうだ。調べてみると、『徒然草』という有名な書物（1330 年頃）にも、くしゃみが出たときに「くさめくさめ」と唱えない（※2）と死んでしまうという記述があることがわかった。

日本人であり、日本語を外国人に教える自分が、沖縄の言葉も知らず、日本語の古語も知らないことを恥ずかしく思った。日本人の日本語知らずには要注意だ。

（※1）言い伝え：a tradition　传说　구전되어 오는 것　（※2）唱える：to chant　大声说　주문을 읊다

問1 下線部の質問に関して、正しいものはどれか。

1　これは、外国人が日本人によくする質問の一つである。

2　これは筆者が、日本語学校の教室でされた質問である。

3　これに対して、筆者は「そういう習慣はない」と答えた。

4　筆者は、教室でこのような質問をまだされたことがない。

問2 この文章の内容と合うものはどれか。

1　沖縄では英語が話されていたので、英語と同じような表現がある。

2　沖縄の言葉を調べれば、14 世紀ごろの古い日本語がよくわかる。

3　「くさめくさめ」「クスクェー」は英語の "Bless you!" にあたる表現である。

4　昔、日本人は病気や災害に合うと「くさめくさめ」と唱えて祈った。

問題（p.61）の答え：問1．3　問2．1

（左ページの答え→3・5）

エッセイ③

Essays ③
散文 ③
수필 ③

✿二重否定に注意！

Be careful with the double negative sentences!
注意双重否定的用法！　이중부정에 주의！

例えばこんな表現があります。

◆ ～しないことはない　　　（＝～することがある／必ず～する）

◆ ～ないとは言えない　　　（＝～かもしれない）

◆ ～ないわけにはいかない　　（＝どうしても～しなければならない）

◆ ～ざるをえない

◆ ～ずにはいられない　　　（＝どうしても～してしまう）

★二重に否定するということは肯定になります。

A double negative makes a positive.
双重否定时就是肯定的意思。　이중으로 부정하는 것은 긍정의 뜻이 됩니다.

| 練習 | 次の会話文を読んで、後の文から正しいものを選ぼう。 | ▶答えは次のページの右下 |

店員：1円玉、たまってきたのでそこの銀行で両替してきましょうか。

店長：あ、両替ねえ。手数料（※1）がかかるからやめようよ。1円玉とか硬貨（※2）を
100枚以上両替する場合は、確か500円以上の手数料を払わないといけない
んだよ。

店員：え？　手数料のほうが高くつくっていうことですか。そんなばかな……。

店長：そうだよ、振り込み（※3）手数料もどんどん上がるし……、そのうち、そこの銀
行も口座（※4）の管理料を取るかもしれないね。実際そういう銀行、あるし。

店員：えー？　お金を預けておくだけで、増えるどころか減っていくんですか！

（※1）手数料：a commission　手续费　수수료　　　（※2）硬貨：coin　硬币　동전

（※3）振り込み：a transfer　汇入　납부 혹은 입금　　（※4）口座：a bank account　帐户　계좌

□1　店長は両替することに反対している。

□2　1円玉を両替するのは手続きが面倒である。

□3　毎回、両替額より手数料のほうが高くつく。

□4　銀行にお金を預けておいても減っていく場合がある。

□5　店長は近くの銀行に口座管理料を支払っている。

問題 次の文章を読んで、後の問いに答えなさい。 ▶答えは p.67 🔊 No.25

＊部分翻訳や解説は別冊 p.8

　先日、テレビショッピング(※1)で買ったものの代金を振り込むために銀行へ行った。3万円を振り込んだのだが、振込手数料が高くてびっくりした。このところ、銀行のいろいろな手数料は、気がつかないうちにどんどん高くなっている。両替をしても、ある枚数以上は手数料を取られる。両替額より手数料のほうが高くなる場合もあるのだ。払いたくないが、払わないわけにはいかない。

　以前は、振り込みをする場合は、同じ銀行間においては無料だった。今は同じ支店間であっても手数料がかかる場合が多い。最近では、口座を持つだけでその管理料を取る銀行もあると聞く。海外の銀行ではよくあるらしいが、私が利用している銀行も将来管理料を払うことになるのかもしれない。そうなると、気がついたら自分の口座の残高(※2)が0(ゼロ)になっているということもありえるだろう。冗談ではなく、現在の私の通帳の残高では、①そうならないとは言えないのだ。

　金利(※3)が低いというより、ほとんどないと言ってもいいくらいの現在、手数料はともかく、（　②　）。

（※1）テレビショッピング：TV shopping　电视购物　홈쇼핑
（※2）残高：a bank balance　余額　잔고
（※3）金利：an interest rate　利率　금리

問1　①そうならないとは言えないとあるが、最も近い意味はどれか。

1　必ずそうなる
2　そうなるかもしれない
3　そうなるかどうかわからない
4　絶対にそうならない

問2　（　②　）の中に入る最も適当なものはどれか。

1　口座を持ちたくないものである
2　管理料まで払いたくないものである
3　通帳の残高を知りたくないものである
4　振り込みはしたくないものである

問題 (p.63) の答え：問1．**4**　問2．**3**

（左ページの答え→1・4）

エッセイや小説を読もう

エッセイ④

Essays ④
散文 ④
수필 ④

✿カタカナで書かれた言葉に注意！② ― 日本語の場合

Pay attention to "*katakana*" words! ② —These words are of Japanese origin
注意片假名标写的词汇！②—日语的事例　가타카나로 쓰여진 단어에 주의！②—일본어의 경우

 例えばこんな表現があります。

カタカナは
苦手だー

◆ ワンワン　◆ トントン
◆ ツルツル　など

＊音や様子から作られた

◆ ゴミ　◆ バカ　◆ コメ　など

＊文章で効果を出すために

◆ バラ　◆ ウサギ
◆ マンガ　◆ ハチ など

＊漢字が難しいなどの理由で習慣的に

★カタカナは外来語とは限りません。日本語である場合も多いです。

Katakana words do not necessarily have a foreign origin. There are many of Japanese origin.
片假名并不一定都是外来语，也有许多是日语。
가타카나로 쓰여진 단어가 반드시 외래어라고 할 수 없습니다．일본어인 경우도 많습니다．

コメ？
何語？？

| 練習 | 次の会話文を読んで、後の文から正しいものを選ぼう。 |

▶答えは次のページの右下

A：いつも通る道のベンチがあるところ、なんだかゴミだらけ（※1）だと思わない？
　　うちの学校の子なんかも、そこでよくおしゃべりしているんだけど、食べたも
　　ののゴミとかをそのままにしていくから……。

B：みんな、ベンチの下や木の周りに捨てていくんだよね。ね、うちのクラブでゴ
　　ミ箱作ってそこへ置くっていうのはどう？　美術部（※2）に絵をかいてもらってさ。

A：あ、それいいかも。

（※1）～だらけ：full of ...　満是～　~투성이　　　（※2）美術部：art club　美术部　미술부

☐1　AさんとBさんは同じクラブのメンバーである。

☐2　Bさんは美術部のメンバーである。

☐3　学校のベンチの周りは、ゴミでいっぱいである。

☐4　Aさんたちは自分たちでゴミ箱を作るつもりである。

☐5　ベンチにかく絵を美術部に頼む予定である。

問題 次の文章を読んで、後の問いに答えなさい。 ▶答えは p.69 🔊 No.26

＊部分翻訳や解説は別冊 p.8

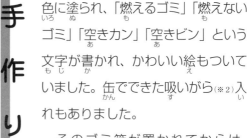

手作りのゴミ箱^(※1)

駅に行く道の歩道にベンチがひとつあります。すぐそばには木が数本植えられていて、お年寄りがひと休みするのにちょうどいい場所です。学校帰りの高校生もよく座っておしゃべりをしています。

以前は、その高校生たちが残していったものらしく、ベンチの周りにはジュースの空き缶や弁当の空き箱などのゴミが散らかっていて、あまり気持ちのいい場所とは言えませんでした。けれども、いつだったか、木で作ったゴミ箱が置かれました。4個、それぞれペンキでいろいろな色に塗られ、「燃えるゴミ」「燃えないゴミ」「空きカン」「空きビン」という文字が書かれ、かわいい絵もついていました。缶でできた吸いがら^(※2)入れもありました。

そのゴミ箱が置かれてからは、①前よりも人が集まってきています。そこに座っていた人たちの話では、近くの高校の生徒たちが作ったということです。最近の高校生の態度が悪いのにはあきれていたのですが、②そんな高校生ばかりではないとわかり、本当に心が温まりました。

（※1）手作り：hand-made　手工制作　수제품　　　（※2）吸いがら：a cigarette butt　烟蒂　담배꽁초

問1 ①前よりも人が集まってきていますとあるが、なぜ前よりも人が集まってくるのか。

1 ゴミを捨てるため。
2 清潔で気持ちのいい場所になったから。
3 高校生たちの態度が良くなったから。
4 タバコを吸う場所ができたから。

問2 ②そんな高校生とは、どんな高校生のことを言っているのか。

1 ゴミ箱を作った生徒たち
2 学校帰りにベンチに座っておしゃべりをする生徒たち
3 心がやさしい生徒たち
4 態度が悪い生徒たち

問題（p.65）の答え：問1．**2**　問2．**2**

（左ページの答え→1・4）

エッセイや小説を読もう

小説①
しょうせつ

Novels ①
小说 ①
소설 ①

✿指示語に注意！② ― 指示語の内容が後に来るものに注意！
しじご ちゅうい　　　　　しじご ないよう　あと く　ちゅうい

Pay attention to demonstratives! ② — especially those which refer to subjects that are subsequently introduced
注意指示代词！②—注意指示代词所指的内容可能出现在后面！
지시어에 주의！②―지시어가 가리키는 내용이 뒷 부분에 나오는 것에 주의！

 例えばこんな場合があります。
たと　　　　　ば あい

「この人を知りませんか。」
ひと し

僕はいきなり、女性の写真を目の前に突きつけられた。
ぼく　　　　　じょせい　しゃしん　め　まえ　つ

「私はこういう者です。」そう言うと男は警察手帳を見せた。
わたし　　　　　もの　　　　　い　おとこ けいさつてちょう み

刑事だった。
けいじ

この人
ひと
知りませんか？
し

練習 次の会話文を読んで、後の文から正しいものを選ぼう。
つぎ かいわぶん よ あと ぶん ただ えら

▶答えは次のページの右下
こた つぎ みぎした

宣教師（※1）：お嬢さんはおいくつですか？
せんきょうし　　　じょう

少女　　：あたし？　あたしは来年 12。
しょうじょ　　　　　　　　　らいねん

宣教師：きょうはどちらへいらっしゃるのですか？
せんきょうし

少女　　：きょう？　きょうはもう家へ帰るところなの。
しょうじょ　　　　　　　　　　　いえ かえ

宣教師：きょうは何日だかご存知ですか？
せんきょうし　　　なんにち　ぞんじ

少女　　：12月25日でしょう。
しょうじょ　　がつ にち

宣教師：ええ、12月25日です。12月25日は何の日ですか？　お嬢さん、あな
せんきょうし　　　　がつ にち　　がつ にち なん ひ　　　　　じょう
　　　　たはご存知ですか？
　　　　　　ぞんじ

少女　　：ええ、それは知っているわ。
しょうじょ　　　　　　　し

宣教師：ではきょうは何の日ですか？　ご存知ならば言ってごらんなさい（※2）。
せんきょうし　　　　　なん ひ　　　　ぞんじ　　い

少女　　：きょうはあたしのお誕生日。
しょうじょ　　　　　　　　たんじょうび

（芥川龍之介『少年』〈会話部分のみ抜粋〉）

（※1）宣教師：a priest　传教士　선교사
　　　せんきょうし

（※2）言ってごらんなさい：言ってみなさい
　　　い

☐1　宣教師と少女はとても親しい。
　　せんきょうし しょうじょ した

☐2　少女はこれから教会へ行く。
　　しょうじょ きょうかい い

☐3　今日はクリスマスである。
　　きょう

☐4　少女は今日が何日か知らなかった。
　　しょうじょ きょう なんにち し

☐5　宣教師は少女とクリスマスについて話したかった。
　　せんきょうし しょうじょ はな

問題 次の文章を読んで、後の問いに答えなさい。

▶答えは p.71　　◀)) No.27
＊部分翻訳や解説は別冊 p.8

　昨年のクリスマスの午後、堀川保吉は須田町の角から新橋行きの乗り合い自動車(※1)に乗った。彼の席だけはあったものの、自動車の中は相変わらず身動きさえ出来ぬ満員(※2)である。(中略)

「お嬢さん。<u>ここ</u>へおかけなさい。」

宣教師は太い腰を起した。(中略)

「ありがとう。」

少女は宣教師と入れ違いに保吉の隣りへ腰をかけた。(中略、左ページの会話に続く)

「きょうはあなたのお誕生日！」

宣教師は突然笑い出した。(中略)

「お嬢さん。あなたは好い日にお生まれなさいましたね。きょうはこの上もないお誕生日です。世界中のお祝いするお誕生日です。あなたは今に、—— あなたの大人になった時にはですね、あなたはきっと……」

宣教師は言葉につかえたまま(※3)、自動車の中を見回した。同時に保吉と眼を合わせた。宣教師の眼はパンス・ネエ(※4)の奥に笑い涙をかがやかせている。保吉はその幸福に満ちた鼠色の眼の中にあらゆるクリスマスの美しさを感じた。(中略)

「あなたはきっと賢い奥さんに —— 優しいお母さんにおなりなさるでしょう。ではお嬢さん、さようなら。わたしの降りる所へ来ましたから。では —— 」

(芥川龍之介『少年』)

（※1）乗り合い自動車：バス　　　　　（※2）身動きさえ出来ぬ満員：動けないくらい満員

（※3）言葉につかえたまま：trying to think of the proper word　一时语塞　말이 막힌 채

（※4）パンス・ネエ：鼻眼鏡（pince-nez フランス語）

問1　<u>ここ</u>の指すものはどれか。

1　少女と保吉の間の席　　　　　　　2　ひとつだけあった保吉の席

3　保吉と宣教師の間の席　　　　　　4　保吉の隣りの、宣教師の席

問2　保吉の気持ちとして考えられるものはどれか。

1　クリスマスだと答えなかった少女はあまり賢くない。

2　期待した答えがもらえなかった宣教師が気の毒だ。

3　少女の意外な答えに感動した宣教師は幸福そうで美しい。

4　キリスト教を広めるために少女に話しかけた宣教師は嫌だ。

問題（p.67）の答え：問1. **2**　問2. **4**

（左ページの答え→3・5）

エッセイや小説を読もう

小説②
しょうせつ

Novels ②
小说 ②
소설 ②

学習日

月　日（　）

🌸 情景や登場人物の様子、気持ちを読み取ろう
じょうけい　とうじょうじんぶつ　ようす　　きも　　よ　と

Try to comprehend the scenes, the characters' states and their feelings!

阅读并领会情景及出场人物的表情行动和心情　배경이나 등장 인물의 모습, 마음 상태를 읽고 이해해 봅시다

例えばこんなふうに気持ちを読み取ります。
たと　　　　　　　　　　　　　きも　　　よ　と

先生は意外なように（質問に答えない）カムパネルラを見ていました。
せんせい　いがい　　　　　　しつもん　こた　　　　　　　　　　　　　　み

……先生はカムパネルラが答えられると思っているから「意外」。
　　せんせい　　　　　　　　こた　　　　　　おも　　　　　　いがい

もじもじ立ち上がったままやはり答えができませんでした。
　　　　た　　あ　　　　　　　　　　　こた

……したいことがはっきりできないときに「もじもじ」する。

ジョバンニはまっ赤になってうなずきました。
　　　　　　　　　か

……恥ずかしいときや怒ったときに「真っ赤に」なる。
　　　は　　　　　　　　おこ　　　　　　ま　か

あの、ぼく…

←真っ赤になっている
　ま　か

→もじもじしている

練習　次の会話文を読んで、後の文から正しいものを選ぼう。
　　　つぎ　かいわぶん　よ　　　あと　ぶん　ただ　　　　　えら

▶答えは次のページの右下
　こた　　つぎ　　　　みぎした

娘：お母さん、「銀河(※1)鉄道の夜」って読んだことある？
むすめ　かあ　　　　ぎんが　てつどう　よる　　　よ

母：宮沢賢治(※2)の？　あるよ。なんで？
はは　みやざわけんじ

娘：今日学校で借りて読んだんだけど、カンパネルラ(※3)って最後、死んじゃったの？
むすめ　きょうがっこう　か　　よ　　　　　　　　　　　　　　　　　　　さいご　　し

母：そうだよ。主人公の友だちでしょ？　かわいそうだよね。賢くていい子なのに。
はは　　　　　　しゅじんこう　とも　　　　　　　　　　　　　　　　　かしこ　　　　　こ

娘：そうそう。ジョバンニ、貧乏だからってみんなにいじめられてるんだよね。お
むすめ　　　　　　　　　　　びんぼう

　父さんが漁から帰ってこなくて、お母さんも病気でかわいそうなのに。でもカ
　とう　　　りょう　かえ　　　　　　　　かあ　　　びょうき

　ンパネルラだけは優しくて、たった一人の友だちだったのに、ひどい！
　　　　　　　　　やさ　　　　　　　　ひとり　とも

（※1）銀河：a galaxy　銀河　은하계
　　　ぎんが

（※2）宮沢賢治：日本の有名な童話作家
　　　みやざわけんじ　にほん　ゆうめい　どうわさっか

（※3）カンパネルラ：人の名前
　　　　　　　　　　ひと　なまえ

☐1　娘は「銀河鉄道の夜」という本を読んだことがない。
　　　むすめ　ぎんがてつどう　よる　　　　ほん　よ

☐2　カンパネルラとジョバンニは本の中の登場人物である。
　　　　　　　　　　　　　　　　ほん　なか　とうじょうじんぶつ

☐3　カンパネルラはジョバンニの友だちである。
　　　　　　　　　　　　　　　とも

☐4　ジョバンニは病気である。
　　　　　　　　びょうき

☐5　カンパネルラはひどい人だ。
　　　　　　　　　　　ひと

問題 次の文章を読んで、後の問いに答えなさい。　▶答えは p.73　🔊 No.28

＊部分翻訳や解説は別冊 p.8 ～ 9

　カムパネルラが手をあげました。それから四、五人手をあげました。ジョバンニも①手をあげようとして、急いでそのままやめました。たしかにあれがみんな星だと、いつか雑誌で読んだのでしたが、このごろはジョバンニはまるで毎日教室でも眠く、本を読むひまも読む本もないので、なんだかどんなこともよくわからないという気持ちがするのでした。

　ところが先生は早くもそれを見つけたのでした。

　「ジョバンニさん。あなたはわかっているのでしょう。」

　ジョバンニは勢いよく立ちあがりましたが、立ってみるともうはっきりとそれを答えることができないのでした。

　（中略）先生はしばらく困ったようすでしたが、眼をカムパネルラのほうへ向けて、

　「ではカムパネルラさん。」と名指しました。

　するとあんなに元気に手をあげたカムパネルラが、やはりもじもじ立ち上がったままやはり答えができませんでした。

　先生は意外なようにしばらくじっとカムパネルラを見ていましたが、急いで、

　「では、よし。」と言いながら、自分で星図を指しました。

　「このぼんやりと白い銀河を大きないい望遠鏡で見ますと、もうたくさんの小さな星に見えるのです。ジョバンニさんそうでしょう。」

　ジョバンニはまっ赤になってうなずきました。けれどもいつかジョバンニの眼のなかには②涙がいっぱいになりました。そうだ僕は知っていたのだ、もちろんカムパネルラも知っている、それはいつかカムパネルラのお父さんの博士のうちでカムパネルラといっしょに読んだ雑誌のなかにあったのだ。（中略）それをカムパネルラが忘れるはずもなかったのに、すぐに返事をしなかったのは、このごろぼくが、朝にも午後にも仕事がつらく、学校に出てももうみんなともはきはき遊ばず、カムパネルラともあんまり物を言わないようになったので、カムパネルラがそれを知って気の毒がってわざと返事をしなかったのだ、そう考えるとたまらないほど、自分もカムパネルラもあわれなような気がするのでした。

（宮沢賢治『銀河鉄道の夜』）

問1　①手をあげようとして、急いでそのままやめましたとあるが、ジョバンニはなぜやめたのか。

　　1　急に眠くなってしまったから。　　　　2　カンパネルラが手をあげていたから。

　　3　答えに自信がなくなったから。　　　　4　見た雑誌が自分のものではなかったから。

問2　②涙がいっぱいになりましたとあるが、なぜか。

　　1　答えがわかっていたのに先生の質問に答えられなくて悔しかったから。

　　2　自分のことも、自分を心配してくれるカンパネルラもかわいそうになったから。

　　3　仕事がきつくて学校に来ても勉強に集中できなくて悲しくなったから。

　　4　自分のことを先生も友達もだれもわかってくれないことがさびしかったから。

問題（p.69）の答え：問1．**4**　問2．**3**

（左ページの答え→2・3）

エッセイや小説を読もう

まとめの問題
Summary questions 综合问题 정리 문제

制限時間：25分
問題1：1問15点×4問
問題2：1問20点×2問
答えは p.79

点数
／100

部分翻訳や解説は別冊 p.9

問題1 次の文章を読んで、後の問いに対する答えとして最もよいものを1・2・3・4から
一つ選びなさい。

🔊 No.29

　最近うれしかったのは、新幹線で隣に座ったのが四十代の男だったことだ。

　わたしだって人並みに(※1)中年男は嫌いだ。以前は、隣に女が座ってくれることを希望していた。新幹線に乗るときは、たいてい仕事をしようと思っているから、気になるような女が隣に座ったら、仕事に身が入らない(※2)はずだ。いいかえれば、仕事をしなくてすむはずだ。だが実際には、①そういう希望が実現したことはほとんどない。

　悪いことに、世の中には女以外の人間も存在しており、中にはわたしの甘い夢を打ち砕く(※3)ような人間もいる。一番多いのは、前後の席で騒ぐ子どもである。子どもの声は大きいのは分かる。生物学的にいっても、万一の場合に親の注意を引くような声を出す必要があるのだ。だが、隣に親がいるのになぜ大きい声を出す必要があるのか（本当の親ではないのか？）。周りの乗客に迷惑をかけるために大きい声をもっているとしか思えない。子どもが近くにいるときは、まず仕事にならない。何よりも、ぐっすり眠れない。

　そういう経験が何回も重なり、わたしは②喫煙車両(※4)に座ることにした。子どもは少ないから最悪の事態は避けられる……はずだった。

　最初に喫煙車両に乗ったとき、どこかの体育会系(※5)の大学生の団体が周りを取り囲むようにすわり、子ども以上に大きい声で騒ぎまくった。

　次に乗ったときは、高齢の男が隣に座った。老人なら騒ぐ元気もあるまいと思ったが、老人は隣に座るなり、降りるまでの数時間、途切れることなく(※6)激しい咳をし続けた。風邪なのか、肺ガン(※7)なのか知らないが、今にも倒れそうで気が気でなく(※8)、仕事どころではなかった。

　この経験の後、わたしは甘い希望を捨てた。考えてみれば、周りに暴力団(※9)の団体が陣取る(※10)可能性もあるのだ。そういう事態に比べれば、③中年男は歓迎すべき隣人だ。中年男でよかった。到着までの四時間、④ぐっすり眠ることができた。

（土屋賢二『ツチヤ学部長の弁明』講談社）

（※1）人並みに：普通の人と同じように　　（※2）身が入らない：集中できない
（※3）打ち砕く：たたいて壊す　　（※4）喫煙車両：タバコを吸うことができる電車の車両

（※５）体育会系：スポーツのクラブに入っているような強そうな感じ

（※６）途切れることなく：途中で終わらないで、続いて

（※７）肺ガン：病気の名前

（※８）気が気でなく：とても心配で

（※９）暴力団：暴力によって目的を達しようとする団体

（※10）陣取る：（この場合）座る

1　①そういう希望とはどういう希望か。

   1　隣に中年男が座ってほしい。

   2　隣に女が座ってほしい。

   3　騒ぐ子どもに座ってほしくない。

   4　隣にだれも座ってほしくない。

2　なぜ②喫煙車両に座ることにしたのか。

   1　タバコを吸うつもりだから。

   2　気になる女が隣に座るかもしれないから。

   3　喫煙車両のほうが筆者の年齢に近い人が多いから。

   4　禁煙車両は子どもがうるさいから。

3　なぜ③中年男は歓迎すべき隣人だと思ったのか。

   1　暴力団である可能性が少ないから。

   2　騒がないで静かにしているから。

   3　老人よりも健康だから。

   4　いい人が多く仲良くできるから。

4　筆者は④ぐっすり眠ることができたことについてどう思っているか。

   1　静かだったので眠ることができてよかった。

   2　うるさかったが眠ることができてよかった。

   3　眠ることができたが中年男はやっぱりいやだ。

   4　眠ることができたがもう少し静かにしてほしかった。

問題（p.71）の答え：問１．**3**　問２．**2**

A

デパートへのラブコール

ある日曜日、安いブランドのいわゆるファストファッションの店に行った。開店すぐの時間だったのに駐車場はいっぱいで止められず帰宅した。次の日曜日、やはり開店すぐにもう一度行ってみた。車はなんとか止められたが、店内はものすごい混雑で、買いたかったものを一枚手に取るまでに疲れ果ててしまった。何か変だ。この人たちは本当に必要で買っているのだろうか。一時的な熱は冷めるのも早い。

この不況下で安いファストファッションブランドに人気が集中し、デパートは次々と消えている。私もデパートに対して、高くてちょっと古臭くて、商品を手に取りにくい、という印象を抱いていたのだが、最近はデパートが恋しくなっている。特にゆったりとした空間のあるリッチなデパートに行くと、落ち着くし、買えない物が並んでいても、見て回るだけで楽しめる。なんとか、デパートに元気に生き残ってほしいものだ。

B

■■ ファストファッション ■■

ファストファッションがこの不況下で消費者の心をつかんでいる。低価格で機能性にもすぐれ、おしゃれで気軽に使えるのが人気の理由だ。国内のブランドが海外に進出し、また海外のブランドも次々と入ってきている。また、店は大型店だけでなく、今ではデパートの中にまで進出している。

さて、このファストファッション熱はいつまで続くのだろうか。だれもが同じような価値観を持ってはいない。実際、私が仕事着にしたいと思うような機能やデザイン、品質をあわせ持ち、このぐらいなら払ってもいいと思える価格の服はなかなか見当たらない。年代に応じて、あるいは時と場所、場合に応じて、さまざまな価値のある商品が求められるはずだ。そろそろ別の切り口のブランドを考えていかないと消費者に飽きられてしまうのではないだろうか。

5 AとBに共通する内容はどれか。

1　デパートにもファストファッションの店にもそれぞれ良さがある。

2　ファストファッションの人気が続くとデパートが消えてしまう。

3　生き残っているデパートにはファストファッションの店がある。

4　ファストファッションの人気が続くことに疑問を持っている。

6 正しいものはどれか。

1　AもBもファストファッションの人気が不況と関係があると思っている。

2　AもBもファストファッションとデパートは正反対の価値があると思っている。

3　Aは客の立場から、Bは店の立場から意見を書いている。

4　Aはファストファッションに否定的だが、Bは好意的だ。

日本語能力試験（Ｎ２）では、2～3の文章を読み比べる問題が出題されます。
共通する点や異なる点を比べたり、情報を総合的に理解して問題を解きます。

統合理解問題のポイント①

物やできごとに関する解説や、
何かのやり方を説明している文の比較の場合……

情報の違いに注意！

★同じことを説明していても、記事によって取り上げる内容は違います。
次の内容に注意して読みましょう。

・共通して取り上げている内容
・一方だけが取り上げている内容
・説明や評価している人の意見が入っているかどうか
・意見や主観が入っている場合、違いがあるかどうか

同じようなことが
説明してあるね

でも全く意見が
違うよ？

リボンの柄が
違うよ

ボクは右の子の
ほうが好き！

第5週
<ruby>第<rt>だい</rt></ruby>5<ruby>週<rt>しゅう</rt></ruby>

新聞を読もう
しんぶん　　よ

Let's read the newspaper!
阅读报纸
신문을 읽어 봅시다

新聞を読もう

見出し①

Headlines ①
标题 ①
표제어 ①

見出しから文を作って理解しよう

Make a sentence from the headline that demonstrates the main point!
利用标题词汇造完整的句子有助于理解
표제어를 보고, 문장을 만들어 이해해 봅시다

 例えばこんなふうに見出しを文にします。

A鉄道新線 2050年に延期
収益悪化のため

◆ A鉄道は新線の開通を、収益悪化のため2050年に延期した。

"A" Railway decided to postpone the opening of the new line till 2050 due to lack of revenue.
A铁道公司由于收益恶化的影响，将开通新线的计划延期至2050年。
A철도는 수익 악화로 인하여, 새로운 선로 개통을 2050년으로 연기했다.

裁判員裁判 判決
自宅放火被告に 懲役1年6ヵ月

◆ 裁判員裁判で、自宅に放火した被告に懲役1年6ヵ月の判決が出た。

At the jury trial, the defendant was sentenced to 18 months in prison for setting fire to his own home.
裁判员做出裁决，判处在自家放火的被告人一年零六个月的有期徒刑。
배심원 재판에서, 자택에 방화한 피고에게 징역 1년 6개월의 판결이 났다.

○○劇場 さよなら公演に 長蛇の列

◆ ○○劇場の最後の公演（を見たい人たちが）とても長い列を作って並んだ。

Those who wanted to see the last performance at ○○ Theater formed a long line.
一些想要一睹○○剧场最后公演的人们排起了长队。
○○극장의 마지막 공연을 보고자 하는 사람들이, 아주 길게 줄을 섰다.

見出しだけで
新聞読めちゃうね。

練習 次の会話文を読んで、後の文から正しいものを選ぼう。 ▶答えは次のページの右下

> 女：あ、あの人たちやっと帰れるのね。
>
> 男：え？ ああ、ずっと空港で寝袋にくるまって飛行機が飛ぶの待ってた人たちか。
>
> 女：1週間よ。気の毒に。でもしょうがないね、自然災害じゃ。
>
> 男：よかったよ、飛べるようになって。乗客だけじゃなくて、商品も足止め(※1)されていたからビジネスにも影響があっただろうし、航空業界の損失(※2)は2,000億円とか3,000億円とか、とにかく、すごい額らしいから。

（※1）足止め：being trapped　受困而原地不动　교통・유통이 정체됨　　（※2）損失：a loss　损失　손실

☐1　空港で催し物があったので、観光客は出発を遅らせた。

☐2　自然災害の影響で予定の飛行機に乗れない人たちがいた。

☐3　乱れていた空のダイヤはまだもとに戻らない。

☐4　この災害で観光客だけでなく輸出や輸入の商品も影響を受けた。

☐5　この災害の影響でホテル業界は多額の利益を得た。

第
1
週

第
2
週

第
3
週

第
4
週

第
5
週

第
6
週

問題 次の新聞記事を読んで、後の問いに答えなさい。 ▶答えは p.81 🔊 No.31

＊部分翻訳や解説は別冊 p.9

A国 火山噴火(※1) 「空の足」正常化

A国火山噴火による影響で、大混乱となっていた欧州の航空輸送網(※2)が22日中に正常化する見通しが発表された。15日に火山灰(※3)が拡散して(※4)以来、10万便以上が欠航、世界中で700万人以上が足止めされた。

航空業界の受けた損失は15億〜25億ユーロに上るとみられ、観光業を含めるとさらに損失は拡大するとみられている。

（※1）火山噴火：a volcanic eruption　火山喷发　화산 분화
（※2）航空輸送網：an air transportation network　航空运输网　항공 우송망
（※3）火山灰：volcanic ashes　火山灰　화산재
（※4）拡散する：to diffuse　扩散　확산되다

問1 「空の足」とは何か。

1　観光業　　　2　空港の構内　　　3　航空業界　　　4　飛行機の便

問2 この記事の内容と合っているものはどれか。

1　この災害による航空、観光業界の損失は 25億ユーロにとどまった。
2　火山が噴火するといつも飛行機は飛べなくなる。
3　火山噴火の影響で観光客は欧州旅行を中止し、日本などアジアへ来た。
4　混乱から正常化まで1週間かかった。

まとめの問題（p.72〜p.75）の答え：
問題1 ①2 ②4 ③2 ④1　　問題2 ⑤4 ⑥1

（左ページの答え→2・4）

新聞を読もう

見出し② Headlines ②
标题②
표제어②

学習日　月　日（　）

❀助詞に注意して文の意味を予想しよう
Let's guess the meaning of the sentences by paying attention to the particles!
注意助词用法想想整句话的意思　조사에 주의하여 글의 의미를 예상해 봅시다

例えばこんなふうに助詞で終わる見出しも多いです。

製品事故 **安全基準見直しも** ◆ 安全基準の見直しも検討されている。
The revision of the safety standards is being discussed.
正在研究是否应重审安全标准。　안전 기준의 재검토도 고려되고 있다.

ABCカンパニー会長 退任へ ◆ 退任という方向へ動いている。
The general sentiment is leaning towards him resigning.
卸任的可能性越来越大。　퇴임하는 방향으로 움직이고 있다.

経済 **他国よりも国内救済を** ◆ 他の国よりも国内経済の救済をすべきだ。
The domestic economy should be saved rather than those of other countries.
与其援助其他国家更应救助本国国内经济。
다른 나라보다도 국내 경제를 구제해야만 한다.

練習 次の会話文を読んで、後の文から正しいものを選ぼう。　▶答えは次のページの右下

> 客：あら、もうお中元の商品が並んでるのね。
> 店員：いらっしゃいませ。今年は「エコ」（※1）をテーマに当店でしかお求めになれないギフトをご用意させていただいております。ぜひ、ご利用くださいませ。
> 客：エコだなんて、安いものという感じがしない？ 贈り物としてどうかしら……。
> 店員：エコと申しますのは、環境に配慮し（※2）、また産地や素材（※3）、製法などが特別なもの、という意味でございますので、手間をかけた（※4）当店自慢の商品でもございまして、贈り主様の意識の高さが相手様に伝わることと存じます。

（※1）エコ：environmentally friendly　环保　친환경　（※2）配慮する：to give some considerations　考虑　배려하다
（※3）素材：materials/ingredients　材料　소재
（※4）手間をかける：to spend more time and effort　精心制作　시간, 노력, 수고를 들이다

□1　エコというのはエコノミー、すなわち経済的だという意味だ。
□2　エコというのは環境に配慮するという意味だ。
□3　エコをテーマにした商品はどこでも買うことができる。
□4　この店では今年は「エコ」をテーマにしたギフトを用意している。
□5　この店では素材や製法にかかる費用をおさえて商品を買いやすい値段にしている。

問題

次の新聞記事を読んで、後の問いに答えなさい。 ▶答えは p.83 　🔊 No.32

＊部分翻訳や解説は別冊 p.9 〜 10

お中元もエコを主力に

有機農法飲料など続々と

お中元商戦を目前に、デパートの竹屋と丸越は目玉商品を公開した。

両デパートとも、「エコ」をテーマに商品を並べ、産地や素材へのこだわり（※1）を強調している。

竹屋デパートはお中元用商品2500品から主力商品として25品を選び、展示した。

有機農法（※2）によるジュース、レストランなどで余ったた食材をエサとして飼育した豚の肉などもあった。丸越デパートでも地下入り口に10品並べ、「人と地球にやさしいグリーンギフト」として農薬を減らして栽培した（※3）野菜の冷製スープなどの商品を主力としている。

両デパートとも「ほかでは買えない」ものを演出し、客に財布のひもをゆるめてもらうのがねらいだ。

（※1）こだわり：particular preferences　讲究　세심하게 주의를 기울여 일에 몰두함

（※2）有機農法：organic farming　有机农业　유기 농법　（※3）栽培する：to grow　栽培　재배하다

問1　文中の目玉商品と同じ意味で使われている言葉はどれか。

1　中元用商品　　2　エコ商品　　3　ギフト商品　　4　主力商品

問2　この記事の内容と合っているものはどれか。

1　どちらのデパートも客が買いやすいような値段設定にしている。

2　どちらのデパートも環境に配慮した商品に注目している。

3　どちらのデパートも同じような商品を並べて商戦に臨んでいる。

4　一方のデパートでは品数を多くし、他方では品数を少なくして商戦に臨んでいる。

問題（p.79）の答え：問1．**4**　問2．**4**　　　　　（左ページの答え→2・4）

第**5**週	新聞を読もう		
3日目	記事(きじ) Articles 报导 기사		学習日 月 日( )

✿ 事件(じけん)や事故(じこ)の記事(きじ)に慣(な)れよう   Try to familiarize yourself with articles dealing with crimes and accidents!
习惯事件或事故的报导文章　사건이나 사고 기사에 익숙해집시다

大麻譲渡容疑で男ら逮捕
たい ま じょう と よう ぎ　おとこ　たい ほ

20XX. XX. XX　XX:XX

🇫 🐦 B! ✉

女子中学生が所持
じょ し ちゅうがくせい　しょ じ

○市の市立中学生３年の女子生徒（14）が大麻を所持したとして逮捕され
し りつちゅうがくせい ねん じょしせいと たい ま しょ じ たい ほ
た事件で、この生徒に大麻を渡したとして○市の男二人が大麻取り扱い法違
じ けん せい と たい ま わた し おとこふたり たい ま と あつか ほう い
反の疑いで逮捕されていたことがわかった。逮捕されたのは17歳の少年と
はん うたが たい ほ たい ほ さい しょうねん
21歳の男で、いずれも大麻所持を認めているという。
さい おとこ たい ま しょ じ みと

事件(じけん)や事故(じこ)の記事(きじ)は、ほぼ同(おな)じ表現(ひょうげん)が使(つか)われます。

例(たと)えばこんな表現(ひょうげん)がよく出(で)てきます。

◆ 大麻(たいま)	marijuana 大麻 대마초	◆ 譲渡(じょうと)	a transfer 转让 양도	◆ 所持(しょじ)	possession 持有 소지	◆ 認(みと)めている	to admit 承认 시인하고 있다
◆ 違反(いはん)	violation of laws 违犯 위반	◆ 容疑(ようぎ)	suspicion 嫌疑 용의	◆ 逮捕(たいほ)	an arrest 逮捕 체포	◆ ひき逃(に)げ	a hit and run 驾车撞人逃逸 (자동차 등이) 사람을 치고 도망감
◆ 通報(つうほう)	a report 报警 통보	◆ 罰則(ばっそく)	penal regulations 处罚条例 벌칙			◆ 飲酒運転(いんしゅうんてん)	drunken driving 酒后驾驶 음주 운전

練習　次(つぎ)の会話文(かいわぶん)を読(よ)んで、後(あと)の文(ぶん)から正(ただ)しいものを選(えら)ぼう。　▶答(こた)えは次(つぎ)のページの右下(みぎした)

A： またひき逃(に)げだって。多(おお)いね。

B： どうして逃(に)げるのかな。すぐに通報(つうほう)すれば、助(たす)かったかもしれないのに。

A： 怖(こわ)くなって逃(に)げるとか、もしかしたら、飲酒運転(いんしゅうんてん)していたかもしれないね。

B： ああ、飲酒運転(いんしゅうんてん)の罰則(ばっそく)が厳(きび)しいから、お酒(さけ)を飲(の)んでいたことがわからなくなる
ように逃(に)げるんだよね。ひき逃(に)げの罰則(ばっそく)がまだまだ甘(あま)いんじゃないかな。

A： うん、幼児(ようじ)３人(にん)が亡(な)くなる事件(じけん)があってから、両方(りょうほう)の罰則(ばっそく)が厳(きび)しくなったんだ
よね。でも飲酒運転(いんしゅうんてん)はずいぶん減(へ)ったのにひき逃(に)げはあんまり減(へ)ってないんで
しょ？　もっと厳(きび)しくしないと、なくならないんじゃないかな。

☐1　Aさんは飲酒運転(いんしゅうんてん)による交通事故(こうつうじこ)の記事(きじ)を読(よ)んでいる。

☐2　Aさんはひき逃(に)げで幼児(ようじ)３人(にん)が死亡(しぼう)した記事(きじ)を読(よ)んでいる。

☐3　Bさんはひき逃(に)げをする人(ひと)の気持(きも)ちが理解(りかい)できない。

☐4　AさんとBさんは飲酒運転(いんしゅうんてん)の罰則(ばっそく)をもっと厳(きび)しくすべきだと言(い)っている。

☐5　AさんとBさんはひき逃(に)げ事件(じけん)の罰則(ばっそく)をもっと厳(きび)しくすべきだと言(い)っている。

第 1 週
第 2 週
第 3 週
第 4 週
第 5 週
第 6 週

問題 次の新聞記事を読んで、後の問いに答えなさい。 ▶答えは p.85 🔊 No.33

＊部分翻訳や解説は別冊 p.10

ひき逃げか 女性死亡
横浜・港北区

18日午後9時ごろ、横浜市港北区みなと町のJR横浜線の踏切近くの市道で、女性が血を流し、うつぶせ(※1)で倒れているのを近くに住む男性が見つけ一一〇番通報した。女性は病院に運ばれたが間もなく死亡が確認された。

付近の路面に約一七〇メートルにわたって引きずられたような跡や血痕(※2)が残っていたことから、港北署ではひき逃げ事件とみて捜査している。

また、女性は60代ぐらいとみられ、身元(※3)や死因の特定を急いでいる。

（※1）うつぶせ：lying on one's stomach　俯卧　엎드린 채로

（※2）血痕：血のあと

（※3）身元：one's identity　身份　신원

問1 警察がひき逃げ事件と考えているのはなぜか。

1 道路にひき逃げされたと思われるような跡があったから。

2 飲酒運転によるひき逃げ事件が多発しているから。

3 女性が血を流し、うつぶせで倒れていたから。

4 女性が道路をわたって引きずられたから。

問2 この記事の内容と合っているものはどれか。

1 飲酒運転をしていた人が女性をひいたとみられる。

2 ひき逃げされたとみられる女性はまだ身元が不明である。

3 踏切事故にあった女性は病院に運ばれたが助からなかった。

4 女性をひいた車を運転していた男性が警察に通報した。

問題（p.81）の答え：問1．**4**　問2．**2**

（左ページの答え→3・5）

新聞を読もう

グラフ①

Graphs ①
图表 ①
그래프 ①

🌸 グラフの違いを見つけよう

Let's compare and analyze the graphs!
找出图表的不同之处　그래프의 차이를 찾아 봅시다

 比べてどこが違うか考えましょう。

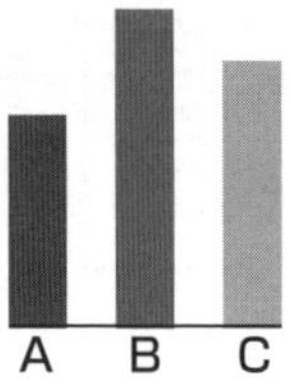

B が最も高い
A が最も低い

A が最も高い
B が最も低い

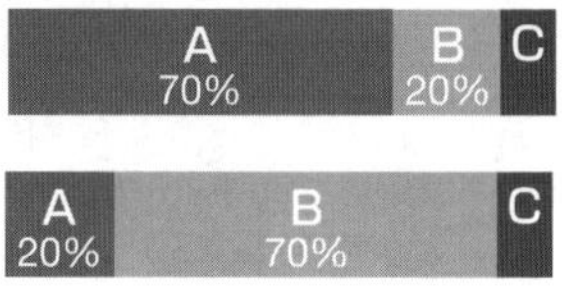

| A 70% | B 20% | C | A が 7 割、B が 2 割 |

| A 20% | B 70% | C | A が 2 割、B が 7 割 |

★グラフが 2 つ以上あるときはどこが違うかよく見比べてみましょう。

When there are multiple graphs, have a close look at what the differences are.
复数图表出现时，请注意比较有哪些地方不同。
그래프가 두 개 이상 있을 때는 어디가 다른지를 충분히 비교해 봅시다.

練習 次の会話文を読んで、後の文から正しいものを選ぼう。　▶答えは次のページの右下

> 母親：また、違う時計しているのね。一体いくつもってるの？
>
> 息子：5つくらいあるけど、お気に入りは3つくらいかな。仕事用、おしゃれ用、遊び用……。あれ、そういえば、母さんは時計していないの？
>
> 母親：最近、ケータイで見るから。要らないの。でも、ケータイって面倒なのよね、意外と。落としたり、忘れたり。だから、ケータイが時計みたいに腕につけられるといいんだけど。
>
> 息子：ああ、通信機能がついてる時計？　そういうの、もうあるよ。ぼくは要らないけど。

☐ 1　息子は腕時計が好きだ。

☐ 2　母親は腕時計が面倒だから使わない。

☐ 3　息子の時計には通信機能がついている。

☐ 4　母親はケータイを時計代わりにしている。

☐ 5　現在、時計に通信機能がついているものはない。

問題 次の記事を読んで、後の問いに答えなさい。

▶答えは p.87　◀)) No.34
＊部分翻訳や解説は別冊 p.10

スマートウォッチの利用状況

　スマートウォッチとはスマートフォンやインターネットと連携(※1)し、様々な機能が使える腕時計型のものである。2010年代半ばに各メーカーから販売され、一般にも広く知られるようになり、市場(※2)も拡大した。しかし、日本では、現在もスマートウォッチを持っていない人は全体で8割以上になる。「スマホがあれば十分である」「充電(※3)が面倒である」「値段が高い」などの理由で普及率(※4)が低いようである。持っている人は15%近くいるが、持っていても利用しない人はその3分の1もいるようだ。しかし、利用者の中には、これほど便利なものはないという感想も多く、メーカーも今後の市場拡大を期待している。

（※1）連携：cooperation　協作　제휴　　　（※2）市場：market　市場　시장

（※3）充電：charging　充电　충전　　　（※4）普及率：adoption rate　普及率　보급률

問い　スマートウォッチの利用状況について、この記事の内容と合うグラフはどれか。

A 持っていない
B 持っていて利用している
C 持っているが利用していない

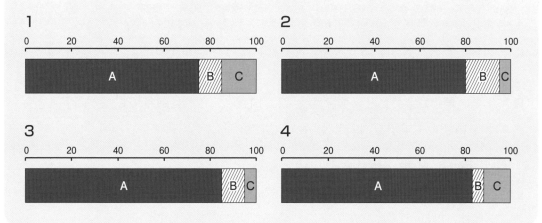

新聞を読もう

グラフ②

Graphs ②
图表 ②
그래프 ②

✿グラフでよく使われる表現を覚えよう

Let's learn the expressions often used in graphs!
记住图表中常用的表达方式
그래프에 자주 사용되는 표현을 외워봅시다

例えばこんな表現がよく使われます。

◆ ～割（%）を占める	to make up ~% of 占～成（%）　～할（%）을 차지한다	◆ 割合	a ratio　比率　비율
◆ 大半を占める	to occupy the majority 占了大半　대부분을 차지한다	◆ ○○率	rate　○○率　○○율/률
◆ （～%／～円 など）に達する	comes to ... % / yen 达到（～%／～日元等）　（～%／～엔 등）에 이르다	◆ 総○数	gross number of ○　总○数　총 ○수
◆ A は B を上回る	A exceeds B　A 超过 B　A는 B를 웃돌다	↔ 下回る	A falls short of B　A 低于 B　A는 B를 밑돌다
◆ わずかに／やや	slightly/somewhat　仅仅／稍微　겨우／조금		
◆ はるかに／大きく	by far/a lot　远远地／大大地　훨씬／크게		

ボクの点数は
キミよりはるかに
いい！

これでも前回より
わずかにいい。

練習 次の会話文を読んで、後の文から正しいものを選ぼう。　▶答えは次のページの右下

A： 昨夜はお騒がせしました。救急車が来て、びっくりされたでしょう？

B： いえいえ、おじいちゃん、大丈夫でしたか？

A： ええ、早く病院で診てもらえたおかげで、大したことにならなくて。
　　実は、呼ぶかどうか迷ったんですけど、そういうとき相談できるっていうとこ
　　ろに電話したら、そこから119番につないでくれて……。

B： ああ、聞いたことあります。救急車は119で、それは何番でしたっけ？

A： ♯7119……、適切な指示（※）がもらえて助かりましたよ。

（※）適切な指示：appropriate instructions　正确的指示　적절한 지침

□1　Aさんの家族はゆうべ救急車で病院に運ばれた。

□2　BさんはゆうべAさんの家に救急車が来たのを知っている。

□3　AさんはゆうべBさんに電話をして病気の家族のことを相談した。

□4　Bさんは♯7119のサービスについて全然知らなかった。

□5　Aさんは病気の家族のために迷わず119に電話した。

問題 次のグラフと表を見て、後の問いに答えなさい。　▶答えは p.89　◀)) No.35

＊部分翻訳や解説は別冊 p.10

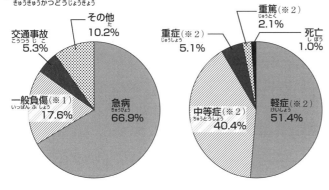

●救急活動状況

救急隊（※3）の出動件数は約 74 万件でした。

また、救急搬送（※4）された人のうち医師により軽症で入院を要さないと判断された割合は約半数でした。

（「2021年 救急活動状況」東京消防庁）

●救急安心センター事業（#7119）利用者アンケート

大変役に立った	46.2%
ある程度役に立った	42.4%
どちらでもない	5.8%
あまり役に立たなかった	3.3%
全然役に立たなかった	2.3%

（出典：平成 30 年度「救急安心センターおおさか」に関するアンケート結果）

自身や家族が急な病気やケガをしたとき、とても不安な気持ちになります。そんなとき、救急安心センター事業（#7119）では医師や看護師などの専門家に相談することができ、アドバイスをとおして、皆さんの判断の手助けとなります。　（「救急安心センター事業（#7119）ってナニ?」総務省消防庁）

（※1）一般負傷：事故によるケガ

（※2）軽症、中等症、重症、重篤：病気やケガが軽い、中くらい、重い、とても重い

（※3）救急隊：ambulance team　救护队　구급대　（※4）救急搬送：ambulance transportation　急救搬运　구급 이송

問い　グラフと表の説明として正しいものはどれか。

1　救急安心センター事業（#7119）の利用者アンケートの結果では、約９割の利用者が「役に立った」と感じている。

2　救急安心センター事業（#7119）の利用者アンケートの結果では、半数以上の利用者が「大変役に立った」と答えた。

3　救急車が出動する目的には、急病や事故による負傷者などの救助があげられるが、その大半が交通事故によるものである。

4　救急搬送された人のうち、重症で入院が必要であると医師により判断されたのは半数以上を占めている。

問題（p.85）の答え：問い．**3**　　　　　　　　　　　　　　　　　（左ページの答え→１・２）

6日目

書評
しょひょう

Critiques
书评
서평

学習日

月　日（　）

✿引用部分を表す「　」『　』に注意！
いんよう ぶぶん あらわ　　　　　　　　　ちゅうい

Pay attention to 「　」『　』 which indicate quotations!
注意表示引用部分的「　」『　』符号!
인용 부분을 나타내는 「　」『　』에 주의!

「　」や『　』は…

◆「　　　」『　　　』の記号はほかの人の話し言葉や、文章や本
　　　　　　　　　きごう　　　　　　　ひと　はな　ことば　　ぶんしょう　ほん
のタイトルなどを引用するときに使います。強調したい言
　　　　　　　　いんよう　　　　つか　　　きょうちょう　こと
葉などにも使います。
ば　　　　　つか

「　」『　』 are used to indicate what someone has said or what someone has written,
or to quote the title of a book. They are also used to emphasize certain words.
「　」『　』符号在引用别人说的话或是文章内容及表示书名时使用，有时也用在特别
想要强调的词汇上。
「　」『　』의 기호는 다른 사람이 한 말이나, 문장 혹은 책의 표제 등을 인용할 때 쓰입니다.
강조하고자 하는 말 등에도 쓰입니다.

ボクは『総まとめ』で
　　　　　そう
勉強してるよ。
べんきょう

このページは
「書評」っていう
しょひょう
タイトルだよ！

【練習】 次の会話文を読んで、後の文から正しいものを選ぼう。
　　　　つぎ かいわぶん よ　　　 あと ぶん ただ　　　　　 えら

▶答えは次のページの右下
こた つぎ みぎした

> 女の人：土屋先生のエッセイ（※1）、読んだ？
> おんな ひと つちやせんせい　　　　　　　よ
>
> 男の人：土屋先生って、あの哲学の教授？
> おとこ ひと つちやせんせい　　　　てつがく きょうじゅ
>
> 女の人：そう。あの先生、エッセイも書いているのよ。
> おんな ひと　　　　せんせい　　　　　　か
>
> 男の人：ふーん。哲学の本じゃないんだ。
> おとこ ひと　　　てつがく ほん
>
> 女の人：うん、でもね、「人間の定義（※2）」を書いているところなんて、笑っちゃうん
> おんな ひと　　　　　　にんげん ていぎ　　　　か　　　　　　　　　　わら
>
> 　　　だけど、読んでいくうちに、結局は哲学を考えさせられるっていう不思議な
> 　　　　　　よ　　　　　　けっきょく てつがく かんが　　　　　　　　　　ふしぎ
>
> 　　　エッセイなの。でも、文章は難しくないから、すらすら読めて、楽しかったー。
> 　　　　　　　　　　ぶんしょう むずか　　　　　　　　　 よ　　　 たの
>
> 男の人：へえ、読みたいな。貸してよ。
> おとこ ひと　　　よ　　　　　か

（※1）エッセイ：an essay　散文　수필　＊随筆。やわらかい文体で気軽に書いた文章。
　　　　　　　　　　　　　　　　　　　　　　　ずいひつ　　　　ぶんたい きがる か ぶんしょう

（※2）定義：a definition　定义　정의
　　　ていぎ

□1　女の人は哲学の本を読んでいる。
　　　おんな ひと てつがく ほん よ

□2　土屋先生のエッセイはおもしろい。
　　　つちや せんせい

□3　土屋先生のエッセイは不思議でわかりにくいところがある。
　　　つちや せんせい　　　　　 ふしぎ

□4　女の人は土屋先生のエッセイを簡単に読めた。
　　　おんな ひと つちや せんせい　　　　かんたん よ

□5　男の人は、哲学の本は読みたくない。
　　　おとこ ひと　　てつがく ほん よ

問題 次の文章は、ある本について書かれたものである。 ▶答えは p.91 🔊 No.36

読んで、後の問いに答えなさい。 ＊部分翻訳や解説は別冊 p.10～11

『われ笑う、ゆえにわれあり』土屋賢二 著
（文春文庫）

　作者本人は本書を「ユーモアエッセイ」と称して(※1)いるが、ユー
モアのつもりで読んでいると、いつの間にか鋭い社会批評であった
り、冗談だと思えば哲学の問題であったりする。

　その文章は非常に読みやすい。やさしい言葉や表現を用いているため、哲学の話
と気がつかない場合がある。しかし、いつの間にか、本来難しいはずの論理を考え
ていたりするという①不思議なエッセイである。

　本書の「人間を定義するのは不可能である」という項目の中で、さまざまな例を
あげながら「人間の定義」を論じて(※2)いるのだが、「我々がどこから見ても人間に
見えるが犬から生まれた場合」や、「一生の間に１分間だけカエルになった場合」な
ど、突拍子もない(※3)条件に笑いながら読み進んでいくと、「定義」とはどういうも
のかということが、ぼんやりとではあるが見えてくるのである。（　②　）にもお勧
め(※4)の一冊である。

(※1) 称する：to claim　称作　칭하다　　(※2) 論じる：to deal with/discuss　论述　논하다
(※3) 突拍子もない：crazy and unrealistic　奇特　엉뚱하다　(※4) お勧め：recommended　推荐　추천

問1　なぜ①不思議なエッセイなのか。

　1　エッセイなのに哲学のことばかり書いてあるから。

　2　やさしい言葉や表現を用いているから。

　3　知らないうちに、哲学的なことを考えさせられるから。

　4　理解しにくい冗談が多いから。

問2　（　②　）に入るものとして最も適当なものはどれか。

　1　ユーモアには興味がないという若者

　2　哲学には興味がないという若者

　3　エッセイには興味がないという若者

　4　条件には興味がないという若者

問題（p.87）の答え：問い．**1**

（左ページの答え→2・4）

新聞を読もう

まとめの問題

Summary questions　综合问题　정리 문제

制限時間：25分
問題1～2：1問 15点×4問
問題3：1問 20点×2問
答えは p.97

部分翻訳や解説は別冊 p.11

点数

／100

問題1　次の記事はある写真展の紹介記事である。読んで、後の問いに対する答えとして最も
よいものを1・2・3・4から一つ選びなさい。　🔊 No.37

　　現在、みどり市美術館で震災（※1）後10年を記念した写真展が開かれている。カメ
ラマン（※2）はプロではなく、一般の人たち。地震直後の町のようすを撮った写真約100
点が展示されて（※3）いる。「この家は、亡くなった主人が好きだった家なんです。壊れ
たままの形でもいいから、とにかく写真に撮って残しておきたいと思って。そしたら、
お隣の家も、その隣の家も残したいと思って、この辺りを夢中で撮りました。」と話
すのは、60代の主婦の安川さん。復興（※4）が進み、新しい町並み（※5）が広がるみどり市。
10年前、確かにここで起こった出来事が昨日のことのように思い出される。今月末
まで開催されて（※6）いる。

（※1）震災：地震によって起こる災害　　　（※2）カメラマン：写真を撮る人

（※3）展示する：並べて多くの人に見せる　　（※4）復興：再び盛んになること

（※5）町並み：町でいろいろな建物が並んでいるようす　　（※6）開催する：行う、開く

1 　ここで起こった出来事とは、どんな出来事か。

　1　地震があったこと

　2　安川さんの家が地震で壊れたこと

　3　安川さんの夫が亡くなったこと

　4　写真展を開いたこと

2 　この文章の内容と合っているものはどれか。

　1　安川さんは、地震が起きているときに写真を撮った。

　2　安川さんは、地震から10年たった町の写真を撮った。

　3　安川さんは、地震の直後の町を写真に撮った。

　4　安川さんは、地震のあとプロのカメラマンになった。

問題2 次の新聞記事を読んで、後の問いに対する答えとして最もよいものを１・２・３・４から一つ選びなさい。

🔊 No.38

京都、人身事故_(※1)で13万人影響　JR東海道線
― 裁判員も遅刻 ―

８日午前７時５分ごろ、京都府さくら市のJR東海道線あおい駅付近の踏切で、女性が下り貨物列車にはねられ_(※2)死亡した。JR西日本によると、上下線85本が運休、103本が遅れ、13万人に影響が出た。

神戸地裁で開かれた大麻取り扱い法違反などの罪に問われた被告_(※3)の裁判で、裁判員が遅刻。25分遅れて開廷_(※4)した。

さくら署によると、死亡したのは70代ぐらいの女性で、身元確認を進めている。目撃者_(※5)の話では、女性が自ら遮断棒_(※6)を持ち上げて線路内に入った。

（※１）人身事故：人がけがをしたり死んだりする事故

（※２）はねられる：ひかれる

（※３）被告：悪いことをして裁判にかけられる人

（※４）開廷：裁判が始まること

（※５）目撃者：事件や事故を見た人

（※６）遮断棒：電車が通る間、踏切に人や車が入らないようにするための棒

---

3 この記事からはっきりわかることはどれか。

1　事故で死亡した人は自殺だった。

2　人をはねた電車の乗客にけがはなかった。

3　事故による開廷の遅れは裁判に影響した。

4　死亡した人の身元はまだわかっていない。

4 この記事からわからないことはどれか。

1　裁判の終わった時刻

2　事故の起こった時刻

3　運休した電車の本数

4　亡くなった人の性別

問題 (p.89) の答え：問1.　**3**　問2.　**2**

問題3 次のＡとＢは、それぞれ「防犯」についてかかれた記事である。ＡとＢの両方を読んで、後の問いに対する答えとして、最もよいものを１・２・３・４から一つ選びなさい。

A

いかのおすし

「いかのおすし」とは、子どもを犯罪被害(※1)から守るための防犯標語(※2)で、知らない人にはついて「いか」ない、知らない人の車には「の」らない、あぶないと思ったら「お」おきな声を出す、その場から「す」ぐ逃げる、大人に「し」らせる、というルールを覚えやすくするために東京都と警察庁が考案し、全国に広まったものです。

しかし、この標語を覚えても、保護者と子どもの理解にはズレ(※3)があるとの意見があります。例えば、「知らない人」について、子どもは公園などでよく見かけたり声をかけられたり、自分の名前を呼ぶ人を「知っている」と理解する可能性があるからで、「知らない人」について子どもと話し合う機会を持つことが必要だと言われています。

（※1）犯罪被害：悪い人に危ないことをされること
（※2）防犯標語：犯罪被害にあわないようにするためのルール
（※3）ズレ：ぴったり合っていないこと

B

いいゆだな

あるホームセキュリティの会社がアンケートを実施したところ、子どもだけで留守番をさせることに、8割以上の保護者が不安を感じているとわかりました。そこで、一人で留守番する子どもが自分で身を守る(※1)ための約束として、「留守番する前」から気をつけるべきことを「いいゆだな」ということばにして小学生に教えているのだそうです。

「い」えのカギを人に見せない、変な人がついて来ていないか「い」えのまわりをよく見てから入る、「ゆ」うびん受けがいっぱいになっていると留守だと思われるので、郵便物をチェックして取り込む、「だ」れも家にいなくても家族がいると思わせるために＜ただいま！＞と言って家に入る、「な」かに入ったら、すぐ戸じまり(※2)をすること、と。

さらに、保護者が子どもと一緒にカギの閉め方などを練習することを勧めています。

（※1）身を守る：自分が危ないことにならないようにする。
（※2）戸じまり：家の戸や窓を閉めて、外から入れないようにすること。

5 両方の記事に書かれている内容はどれか。

1 子どもを犯罪から守るためには、学校や保護者だけでなく地域の人々の協力が必要だ。

2 子どもに防犯の意識を持たせるために、覚えやすいことばを大人が考えて指導している。

3 「知らない人」とはどういう人をいうのか、保護者は子どもと話し合ったほうがいい。

4 防犯標語は子どもの安全のために東京都と警察庁で考案され、その後全国に広まった。

6 正しいのはどれか。

1 小学校では通学の行き帰りに会う人には知らない人にでも挨拶するよう指導している。

2 セキュリティ会社は子どもを犯罪から守るための防犯用商品の購入を勧めている。

3 子どもが家のカギをなくさないように、保護者が郵便受けに入れておいたほうがいい。

4 標語を覚えさせるだけでなく、内容について保護者が子どもと話し合うことが大切だ。

統合理解問題では、説明や解説文だけではなく、次のようなものも出題されます。

- 相談に対するアドバイス
- 同じ物や事に対する意見や評価
- 複数の人の意見や感想

統合理解問題のポイント②

筆者の意見の入っている文を読むときは……

何が言いたいのかに注意！

★肯定しているのか否定しているのかを見分けましょう！

★意見や評価によく使われる表現に注意しましょう！

- 意外と（⇒予想とは違う）
- いかがなものか（⇒いいと思わない）
- もう一つ／いま一つ（⇒あまりよくない）
- 可もなく不可もなく（⇒良くも悪くもなく普通だ）
- ～べきだ（⇒したほうがいい）

論説文を読もう
ろんせつぶん　　　　よ

Let's read some editorials!
阅读议论文
논설문을 읽어 봅시다

論説文を読もう

言語に関する文章

Articles on Linguistics
语言类文章
언어에 관련된 문장

✿長い文章はスラッシュ（／）で分けて理解しよう

Try to understand a long sentence by splitting it into two with (／)!

将较长的文章用（／）符号分开后有助于理解　긴 문장은 빗금을 그어 나누면서 이해해 봅시다

例えばこんなふうに切ることができます。

最近の子どもたちは／兄弟も少なく、／両親とも働いている場合も多い**ので**、／
昔に比べる**と**／家族間の会話もどんどん減ってきている**と**／言われている。

★特に主題（TOPIC）と文末に注意し、何がどうだと述べているか理解しましょう。

Pay attention to the main theme and the ending, and try to understand what is being said about what!

尤其要注意主题（TOPIC）及结尾，理解文章对某事是如何下结论的。

특히 주제와 글의 마지막 부분에 주의하여, 무엇이 어떻게 됐다고 서술되어 있는가를 이해해 봅시다.

切らないと
食べにくい。

練習 次の会話文を読んで、後の文から正しいものを選ぼう。　▶答えは次のページの右下

A先生：　最近の生徒たちの会話、何を話しているのかよくわからないですよね。

B先生：　本当に。インターネットの書き込み(※1)なんか見ると、宇宙人の会話のよう
　　　　　なものがありますよ。それにしても、今の若い人たちは新しい言葉を山の
　　　　　ように作り出していますよね。

A先生：　ええ、でも、どれだけそういう言葉が残っていくんでしょうか。たいてい
　　　　　は消えていきますよね。

B先生：　ええ、でもコンピューター用語(※2)なんかは、辞書に追加されるべきですよね。

（※1）書き込み：entry　填入　쓰기　　　　　　（※2）用語：terminology　用语　용어

☐1　　最近の生徒たちは外国語で会話をしている。

☐2　　若い人たちは、インターネットの書き込みなどで新しい言葉を使って会話して
　　　　いる。

☐3　　A先生は生徒たちの会話がよくわからないが、B先生はよく理解している。

☐4　　インターネット上に宇宙人のような人が書き込みをしている。

☐5　　B先生はコンピュータ用語は辞書に必要だと思っている。

問題　次の文章を読んで、後の問いに答えなさい。　　▶答えは p.99　🔊 No.40

＊部分翻訳や解説は別冊 p.11

言葉は時代とともに進化する（※1）。ほかの言語と同様に今まで日本語もずっと変化し続けてきたが、現在は特に猛烈なスピードで（※2）変化しているようだ。

その原因の一つとして考えられるのは、いわゆるITに関係すること、つまりパソコンや携帯電話などである。以前は専門家にしかわからなかったコンピューター用語も、今では一般の会話の中に当然のように出てくるようになった。また、メールやインターネットの書き込みなどから次々と新しい言葉が生まれている。絵文字（※3）や顔文字（※4）なども入り、そこでの会話はまるで宇宙人がしゃべっているように思えるくらいである。

これまでも多くの言葉が生まれては消えていき、残る言葉の数は限られているので、このような事態も<u>特に驚くことではない</u>という言語学者もいる。しかし、これほど新しい言葉や表現が増えると大半が消えていったとしても、かなりの数の新しい言葉が残るのではないだろうか。50年後の日本語は今とはまったく別の言語になっているのかもしれない、というのは言い過ぎだろうか。

（※1）進化する：to evolve　进化　진화하다

（※2）猛烈なスピードで：at a breakneck speed　飞速地　아주 빠른 속도로

（※3）絵文字：emoji　表情包　이모지　　　　　　（※4）顔文字：emoticon　顔文字　이모티콘

問1　どうして<u>特に驚くことではない</u>のか。

1　残っていく新しい言葉の数は今までと変わらないだろうから。

2　生み出された新しい言葉は思ったほど多くないから。

3　携帯電話やパソコンの影響で新しい言葉が増えているから。

4　いつの時代も若い人の会話は宇宙人の会話のようだから。

問2　筆者の最も言いたいことはどれか。

1　若い人は普通の言葉で会話したほうがいい。

2　これからは今までよりも多くの新しい言葉が残っていくだろう。

3　言葉が変化しているとは言えない。

4　古い日本語を大切にしなければならない。

まとめの問題（p.90 ～ p.93）の答え：
問題1　1 1　2 3　　問題2　3 4　4 1　　問題3　5 2　6 4

（左ページの答え→2・5）

論説文を読もう

化学に関する文章
(かがく かん ぶんしょう)

Article on Chemistry
化学类文章
화학에 관련된 문장

学習日

月　日(　)

✿キーワードを見つけよう
(み)

Try to find the key words!
找出关键词　키워드를 찾아봅시다

例えばこんなふうにチェックします。
(たと)

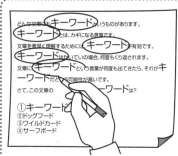

★何度も出てくる言葉はキーワードです。
(なんど) (で) (こと ば)

○をつけながら読みましょう。
(よ)

Words appearing repeatedly are keywords. Mark them as you read.
反复出现的词汇就是关键词，最好是一边画圈儿一边阅读。
몇 번씩이나 나오는 단어는 키워드입니다. ○를 표시하면서 읽어 봅시다.

練習 次の会話文を読んで、後の文から正しいものを選ぼう。
(つぎ) (かい わ ぶん) (よ) (あと) (ぶん) (ただ) (えら)

▶答えは次のページの右下
(こた) (つぎ) (みぎした)

> A：わあ、きれいなマンション。新築なんだね。
> (しんちく)
>
> B：うん。でもさ、なんか、この部屋に引っ越してから調子が悪いんだ。
> (へ や) (ひ こ) (ちょう し) (わる)
>
> A：え？　どんなふうに？
>
> B：よく頭痛がするし、目がチカチカする(※1)んだよね。
> (ず つう) (め)
>
> A：あ、もしかしたら、シックハウス症候群(※2)じゃない？　ほら、壁紙の接着剤(※3)
> (しょうこうぐん) (かべがみ) (せっちゃくざい)
>
> 　　なんかでアレルギー症状(※4)が出るっていうじゃない。
> (しょうじょう) (で)
>
> B：やっぱりそうかなぁ。病院へ行って調べてもらおうかな。
> (びょういん) (い) (しら)

（※1）チカチカする：(eyes) burning　刺眼　눈이 따가와서 따끔따끔 하다

（※2）シックハウス症候群：sick-house syndrome　病态居室症候群　시크 하우스 증후군 (새집 증후군)
(しょうこうぐん)

（※3）接着剤：adhesive　粘合剂　접착제
(せっちゃくざい)

（※4）アレルギー症状：an allergic reaction　过敏症状　알레르기 증상
(しょうじょう)

□1　Bさんは最近、新築のマンションに引っ越した。
(さいきん) (しんちく) (ひ こ)

□2　Bさんの体調が悪い原因は、はっきりわかっている。
(たいちょう) (わる) (げんいん)

□3　Bさんは引っ越しする前から接着剤に対してアレルギー症状が出ていた。
(ひ こ) (まえ) (せっちゃくざい) (たい) (しょうじょう) (で)

□4　Aさんもシックハウス症候群である。
(しょうこうぐん)

□5　Bさんは頭痛や目がチカチカする原因を病院で調べてもらいたい。
(ず つう) (め) (げんいん) (びょういん) (しら)

問題 次の文章を読んで、後の問いに答えなさい。 ▶答えは p.101 🔊No.41
＊部分翻訳や解説は別冊 p.11 ～ 12

近年、「シックハウス症候群」という言葉が用いられるようになった。「シック」「ハウス」はともに英語の「sick（病気）」「house（家）」から来ているが、実際にはどういうものなのだろうか。

新築の家に引っ越しをすると、体調が悪くなる人がいる。これは家に使われている材料に対して人間の体がアレルギーのような反応(※1)を起こすためである。この症状が「シックハウス症候群」で、木材や壁紙に使用されている接着剤の原料に含まれるホルムアルデヒド(※2)が主な原因だと言われている。

ホルムアルデヒドにはたんぱく質(※3)を変化させるという特性がある。人間の体は水分を除くと半分近くがたんぱく質でできており、これが人体に害を与えるのは当然である。

しかし、「シックハウス症候群」が、このたんぱく質の変質によるものなのかと言われると、<u>一概にそうとも言えない</u>。なぜならホルムアルデヒドを含む接着剤を使った壁紙を貼った部屋であっても、空気中に含まれるホルムアルデヒドはほんのわずかで、たんぱく質を変質させる量には満たない(※4)からだ。

（※1）反応：a reaction 反应 반응 　　（※2）ホルムアルデヒド：formaldehyde 甲醛 포름알데히드
（※3）たんぱく質：protein 蛋白质 단백질　（※4）～に満たない：insufficient 没有达到～ ～로는 충분하지 않다

問1 これは何について書かれた文章か。

1 シックハウス症候群の症状について
2 シックハウス症候群の原因物質について
3 シックハウス症候群の治療方法について
4 シックハウス症候群になりやすい体質について

問2 なぜ<u>一概にそうとも言えない</u>のか。

1 ホルムアルデヒドがたんぱく質を変質させるとは限らないから。
2 空気中のホルムアルデヒドの量はたんぱく質を変質させるほどの量ではないから。
3 接着剤にホルムアルデヒドが含まれていない場合があるから。
4 人によってアレルギー症状は違うから。

問題（p.97）の答え：問1. **1**　問2. **2**

（左ページの答え→1・5）

論説文を読もう

生物に関する文章
せいぶつ　　かん　　　ぶんしょう

Article on Biology
生物类文章
생물에 관련된 문장

✿ 段落ごとに意味を理解しよう
だんらく　　　　　　いみ　　　りかい

Try to understand it paragraph by paragraph!
理解毎一段落的含义　단락별로 의미를 이해해 봅시다

こんな段落構成になっていることが多いです。
だんらくこうせい　　　　　　　　　　　　　　　おお

第1段落 だい　だんらく	事実や説明 じじつ　せつめい （生物の特性など） せいぶつ　とくせい
	↓
第2段落 だい　だんらく	筆者が言いたいこと ひっしゃ　い

★生物に関する文章は、左のように段落によってはっ
　せいぶつ　かん　　ぶんしょう　　ひだり　　　　　　だんらく
きりと内容が分かれていることが多いです。
　　ないよう　わ　　　　　　　　　　　　おお

Articles about biology tend to be clearly divided into paragraphs as can be seen in the example here.
生物类的文章如同左边所示，往往各段内容都划分得很清楚明了。
생물에 관련된 문장은, 왼쪽과 같이 단락별로 확실히 내용이 나뉘어 있는 경우가 많습니다.

ボクが
言いたいことは…
い

あなたのことなんか
聞いてない！
き

練習	次の会話文を読んで、後の文から正しいものを選ぼう。	▶答えは次のページの右下

つぎ　かいわぶん　よ　　　あと　ぶん　ただ　　　　　　えら　　　　　　　　　　こた　つぎ　　　　　みぎした

女の人：ハチ（※1）に刺されたことある？
おんな　ひと　　　　　　　さ

男の人：うん、スズメバチ（※2）に刺されたことがあるけど、ものすごく痛かったよ。
おとこ　ひと　　　　　　　　　　　　　　さ　　　　　　　　　　　　　　　　　　　　いた
　　　　こんなにはれた（※3）し。

女の人：私も一度刺されたんだけど、次は気をつけろってお医者さんに言われたの。
おんな　ひと　わたし　いちど　さ　　　　　　　つぎ　き　　　　　　　　いしゃ　　　　　い
　　　　私、アレルギー体質（※4）だから、次に刺されたらアレルギー反応を起こすか
　　　　わたし　　　　　　　　たいしつ　　　　　　つぎ　さ　　　　　　　　はんのう　お
　　　　もしれないんだって。死ぬ場合だってあるらしいよ。
　　　　　　　　　　　　　　し　ばあい

男の人：へー、怖いんだね。刺されないように気をつけなきゃ。
おとこ　ひと　　　こわ　　　　　　さ　　　　　　　　き

（※1）ハチ：a bee　蜂　벌　　　　　　（※2）スズメバチ：a hornet　马蜂　말벌

（※3）はれる：to swell　肿　붓다　　　（※4）アレルギー体質：allergic　过敏性体质　알레르기 체질
　　　　　　　　　　　　　　　　　　　　　　　　　　　　たいしつ

☐ 1　2人はハチの種類について話している。
　　　　ふたり　　　　しゅるい　　　　　はな

☐ 2　2人ともハチに刺されたことがある。
　　　　ふたり　　　　　さ

☐ 3　男の人はアレルギー体質である。
　　　　おとこ　ひと　　　　　　　たいしつ

☐ 4　女の人はハチに刺されたときにアレルギー反応を起こした。
　　　　おんな　ひと　　　　さ　　　　　　　　　　はんのう　お

☐ 5　女の人はハチに刺されないように特に注意が必要だ。
　　　　おんな　ひと　　　　さ　　　　　　　　とく　ちゅうい　ひつよう

問題 次の文章を読んで、後の問いに答えなさい。 ▶答えは p.103 🔊))No.42
＊部分翻訳や解説は別冊 p.12

　ハチに刺されると、はれてとても痛い。中でも怖いのはスズメバチである。スズメバチの針(※1)はミツバチ(※2)などと違い、何度でも刺せる。毒性が強い(※3)ので1匹だけでもひどくはれたりして大変だが、ほとんどの場合、集団で襲って(※4)くるのでさらに恐ろしい。また、スズメバチに限らず、ハチに刺されて怖いのはそれだけではない。アレルギーによるショック症状(※5)だ。もし、アレルギー体質の人が刺されると、1回目は痛みだけですむが、2回目に刺されると、抗体(※6)によりアレルギー反応を起こし、吐き気やめまいが起こり、場合によっては呼吸困難で死んでしまうこともあるのだ。
　ハチに刺されないようにするためには、服装や帽子はできるだけ白っぽいものにしたほうがよい。ハチは黒いものを攻撃する習性(※7)があるからである。それから、スズメバチなどは巣に近づいた人に対してカチカチと音を出すので、そういう音が聞こえたら、そっと、すぐにそこから逃げるのが一番である。

（※1）（ハチの）針：a bee sting　刺（별의）침　　（※2）ミツバチ：a bee　蜜蜂　꿀벌
（※3）毒性が強い：very poisonous　毒性強　독성이 강하다（※4）襲う：to attack　襲击　습격하다 혹은 덮치다
（※5）ショック症状：shock　休克症状　쇼크 증상　　（※6）抗体：antibody　抗体　항체
（※7）習性：behavior patterns　习性　습성

問1 怖いのはそれだけではないとあるが、ほかに何が怖いのか。

1　スズメバチに刺されること
2　痛くてはれること
3　アレルギー体質になること
4　アレルギー反応を起こすこと

問2 ハチに攻撃されないようにするためには、どうすればいいか。

1　帽子をかぶらないようにする。
2　黒っぽい服を着ないようにする。
3　カチカチと音をたてて逃げる。
4　集団行動をしないようにする。

問題（p.99）の答え：問1．**2**　問2．**2**　　　　　（左ページの答え→2・5）

論説文を読もう

物理に関する文章
ぶつり　　かん　　　ぶんしょう

Article on Physics
物理类文章
물리에 관한 문장

学習日

　　月　　日（　）

✿複雑な文章を整理して理解しよう①
ふくざつ　ぶんしょう　せいり　　りかい

Try to understand the complicated sentences by reorganizing them! ①
归纳并理解复杂的文章内容①　복잡한 문장을 정리해서 이해하도록 합시다 ①

結論の部分と説明の部分を
けつろん　ぶぶん　せつめい　ぶぶん
区別して読めば難しくありません。
く　べつ　　よ　　　　　むずか

例えば、右の文章はこんな構成になっています。
たと　　　　みぎ　ぶんしょう　　　　　こうせい

読者への問いかけ どくしゃ　と	みなさんは、こう思うことはありませんか？ おも
問題提起 もんだいていき	AとBは……のでしょうか？
結論① けつろん	実は○○の場合はBのほうが……です。 じつ　　　　ば あい
①の説明 せつめい	……なので、……からです。一方、…… いっぽう
結論② けつろん	逆に××の場合はAのほうが……です。 ぎゃく　　　ば あい
②の説明 せつめい	……のため、……というわけです。それに対して…… たい

練習　次の会話文を読んで、後の文から正しいものを選ぼう。
つぎ　かいわぶん　よ　　　あと　ぶん　　ただ　　　　　　えら

▶答えは次のページの右下
こた　つぎ　　　　　みぎした

女：見て、すごい！ あんなジェットコースター、よく乗れるよね。特にいちばん前
おんな　み　　　　　　　　　　　　　　　　　　　　　　の　　　　　とく　　　　　　　まえ
なんて考えられない。
かんが

男：いちばん前がいちばん怖いとは限らないんだよ。てっぺん（※1）を通過するときは
おとこ　　　　まえ　　　　　　こわ　　　かぎ　　　　　　　　　　　　　　　　つうか
前の席より後ろの席のほうが加速するから怖いんだ。前の車両に引っ張られる
まえ　せき　　うし　　せき　　　　　　かそく　　　　　こわ　　　　まえ　しゃりょう　ひ　ば
からね。

女：じゃ、いちばん下のほうを通るときは逆なの？
おんな　　　　　　　　した　　　　　とお　　　　　ぎゃく

男：そうそう、後ろの車両に押されて加速が増すからね。
おとこ　　　　　うし　　しゃりょう　お　　　　かそく　ま

女：まあ、理屈ではそうかもしれないけど、やっぱりいちばん前の座席は怖いな。
おんな　　　　りくつ　　　　　　　　　　　　　　　　　　　　　まえ　ざせき　こわ
前に何にもないんだもん。わー、見て！ 一回転してる！ 落ちるー！
まえ　なん　　　　　　　　　　　　み　　　いっかいてん　　　　　お

男：落ちないよ、遠心力（※2）があるんだから。
おとこ　お　　　　　　えんしんりょく

（※1）てっぺん：頂上、一番高いところ　　　　（※2）遠心力：centrifugal force　离心力　원심력
ちょうじょう　いちばんたか　　　　　　　　　　　　　　えんしんりょく

□1　二人はジェットコースターに乗っている。
ふたり　　　　　　　　　　　　　　　の

□2　女の人はジェットコースターに乗りたがっている。
おんな　ひと　　　　　　　　　　　　　　の

□3　男の人は冷静にジェットコースターを見ている。
おとこ　ひと　れいせい　　　　　　　　　　　　　み

□4　ジェットコースターのスピードはつねに変わらない。
か

□5　ジェットコースターは座席によって怖さの感じ方が違う。
ざせき　　　　こわ　　かん　かた　ちが

問題 次の文章を読んで、後の問いに答えなさい。 ▶答えは p.105 🔊No.43

＊部分翻訳や解説は別冊 p.12

遊園地でジェットコースターに乗るとき、「いちばん前は怖いからいやだ！」あるいは「いちばん前でスリルを味わいたい！」と思うことはありませんか。実際、前の席と後ろの席では怖さが違うのでしょうか。

実は頂上を通過するときは後ろの席のほうが怖いと考えられます。コースターの先頭車両が頂上を通り過ぎるときは、後部車両がまだ坂を上っているところなので、下降し始めた先頭車両の加速はゆるやかになるからです。一方、後部車両が頂上を通過するときは、下降により加速している先頭車両に引っ張られるため、先頭車両に比べて速いスピードで走り抜けることになります。

逆に谷の部分を通過するときは、前の席のほうが怖いと考えられます。本来は上り坂に差し掛かって(※)スピードが落ちるはずのところを、下り坂でスピードを上げている後部車両に押し上げられ、加速してしまうからです。それに対して、後部車両が同じ地点を通るときには上り坂で先頭車両のスピードが落ちているために、先頭車両に比べて遅いスピードで通ることになるというわけです。

(※) 差し掛かる：to approach 臨近 접어들다

問1 怖さが違うのでしょうかという問いに対して筆者はどう言っているか。

1 同じ

2 違う

3 どちらとも言えない

4 人によって違う

問2 この文章の内容と合うものはどれか。

1 怖がりな人は先頭車両に乗るべきではない。

2 スリルを楽しみたい人は先頭車両に乗るべきだ。

3 一番下の部分を通過するときは先頭車両の速度が増す。

4 頂上を通過するときは先頭車両の速度が増す。

問題（p.101）の答え：問1. 4　問2. 2

（左ページの答え→3・5）

医学に関する文章

Article on Medicine
医学类文章
의학에 관한 문장

✿複雑な文章を整理して理解しよう②

Try to understand the complicated sentences by reorganizing them! ②
归纳并理解复杂的文章内容②　복잡한 문장을 정리해서 이해하도록 합시다 ②

 例えば、右の文章はこんな構成になっています。

これ何？

何について話すか	「AED」という装置……ご存じですか？
それは何なのか	「AED」とは……です。
詳しい説明	2004年から……
意見の根拠	少しでも早く……「AED」を使って……行うことが重要
筆者の意見	「AED」が使えるようにしましょう！

練習 次の会話文を読んで、後の文から正しいものを選ぼう。　▶答えは次のページの右下

子ども：お母さん、あれ何？

母親：ああ、AEDっていうのよ。急に病気になって倒れた人を助ける機械なの。

子ども：駅の人が使うの？

母親：だれでも使っていいの。使い方は機械がしゃべって教えてくれるんだって。

子ども：へえー、なんでも治してくれるの？

母親：ううん、心臓がおかしくなった人に使うみたいよ。ほら、よくテレビドラマの救急病院で心臓に電気ショックをしてるの見たことあるでしょ。お母さんもよくわからないから、使えないと思うなあ。

子ども：え！ じゃ、ぼくの心臓が急に止まったらどうするの？

母親：そっか、そしたら、使うかも。でも、ちゃんと使えるのか心配。練習させてほしいよね。市役所に聞いたら、そういう講習会があるかもね。聞いてみよう。

☐1　AEDは緊急時に助けを呼ぶ機械である。

☐2　AEDは急病人に使われる医療機器である。

☐3　AEDを使うには資格が必要だ。

☐4　この母親はAEDの使い方を知っている。

☐5　この母親はAEDに関心を持った。

問題 次の文章を読んで、後の問いに答えなさい。　　▶答えは p.107　🔊 No.44

*部分翻訳や解説は別冊 p.12

　近年、学校やスポーツクラブ、駅、デパートなどで「AED」という装置を見かけるようになりました。みなさんはこのAEDとは何か、またどのように使ったらよいかをご存じでしょうか。

　AED（自動体外式除細動器）とは、心室細動（けいれん（※）して血液を流すポンプの機能を失った状態）になった心臓に電気ショックを与え、正常なリズムに戻すための医療機器です。2004年から医療関係者以外でも使用できるようになり、人が多く集まる場所に設置されるようになりました。AEDは、音声で操作方法をガイドしてくれるので、専門的な知識のない人でも簡単に使用することができます。また、心臓の動き（心電図）を測定・分析し、電気ショックが必要な人にのみ電気ショックを流す仕組みになっているので、安心です。

　AEDによる処置は時間との勝負です。心室細動に対しては、一秒でも早く、電気ショックを行う必要があります。成功の可能性は、1分ごとに10%近く低下すると言われています。日本では、救急車が到着するまでに平均約7分かかります。つまり、成功率は（　　）程度に下がってしまうわけです。ですから、救急車が到着する前に、少しでも早く、患者の近くにいる人がAEDを使用して電気ショックを行うことが重要なのです。

　最近では、一般市民がAEDを使用して救命した事例も増えてきました。AEDだけでなく人工呼吸などの救命法を学んでおくことで、救える命があります。これらの救命法の講習会は各地の消防署などで行われています。ぜひ積極的に参加してください。私たちの行動で、大切な命を救うことができるのです。

（※）けいれん：convulsions　抽搐　경련

問1　（　　）に入る最も適当なものはどれか。

1　10%　　　　2　30%　　　　3　50%　　　　4　70%

問2　この文章の内容と合うものはどれか。

1　AEDはまだまだ数が少ないのでもっと設置場所を増やす必要がある。
2　AEDよりも人工呼吸などの応急処置のほうが一般市民には簡単にできる。
3　AEDは設置されていても一般市民には難しくて使えないのが現状だ。
4　AEDなどの応急処置を学んでおけば一般市民でも人の命が救える。

問題（p.103）の答え：問1. **2**　問2. **3**

（左ページの答え→2・5）

論説文を読もう

数学に関する文章

Articles on Mathematics
数学类文章
수학에 관한 문장

学習日　　月　　日（　）

❀複雑な文章を整理して理解しよう③

Try to understand the complicated sentences by reorganizing them! ③
归纳并理解复杂的文章内容③　복잡한 문장을 정리해서 이해하도록 합시다 ③

 例えば、右の文章はこんな構成になっています。

第1段落：筆者が読者に呼びかけ、意見を言っている

第2段落：　　　昔……

第3段落：　　　そこへ……

第4段落：　}話　何年か後……

第5段落：　　　ところが……

このように2つの部分に分かれていることがわかります。

全体の構成がわかったら、問いを先に読むと効果的です。

練習　次の会話文を読んで、後の文から正しいものを選ぼう。　　▶答えは次のページの右下

子：お父さん、ラクダ（※1）の計算の話、知ってる？

父：ああ、1頭借りて3人で分けて、借りた1頭もちゃんと返せって話ね。

子：うん、その後の話がわからないんだ。

父：まねした人が貸した1頭を返してもらえなかったっていうんだろ？

子：そう。どうして、同じようにしたのにだめだったの？

父：分数（※2）にして、足し算してみたら答えが違うことに気が付くよ。

　　1/2 ＋ 1/3 ＋ 1/9 はどうやって足す？

子：えっと、分母を18にして、9＋6＋2だから、17/18でしょ。それから、こっちは分母を12にして6＋4＋2で、12/12……あ、そうか。

（※1）ラクダ：a camel　骆驼　낙타　　　　　（※2）分数：fraction　分数　분수

☐1　子どもはラクダの計算の話を聞いたことがない。

☐2　ラクダの計算を使うと何かを分けるときに必ずうまくいく。

☐3　ラクダの計算の話には、借りたラクダを返せた話と返せない話がある。

☐4　父親はラクダの計算を子どもから教えてもらった。

☐5　子どもは父親のヒントでラクダの計算を理解した。

問題 次の文章を読んで、後の問いに答えなさい。　▶答えは p.109　🔊No.45

＊部分翻訳や解説は別冊 p.12 〜 13

　みなさんは、分数が得意だろうか。分数と聞くだけで、嫌だと思う人もいるかもしれない。実はコンピューターでさえ、分数は苦手だとか。でも、①この話を読めば、きっと分数に興味を持つようになるだろう。

　昔、アラビア(※1)のある村で年老いた商人が3人の息子に次のような言葉を残して亡くなった。「私が死んだらラクダをお前たちにやる。長男は 1/2、次男は 1/3、三男は 1/9 とする。」　ところが、ラクダの数は 17 頭だったので、2 でも、3 でも 9 でも割り切れない(※2)。3人はけんかを始めてしまった。

　そこへ旅の老人がラクダに乗ってやってきた。そしてけんかの理由を聞き、「それなら私のラクダを貸してあげよう。」と言った。父親の残したラクダに1頭足すと 18 頭になったので、長男は 9 頭、次男は 6 頭、三男は 2 頭で父親の言葉どおりに分けることができた。余った1頭は元通りに旅の老人が連れていった。

　何年か後、同じように 11 頭のラクダを持っている老人が「長男には 1/2、次男には 1/3、三男には 1/6 のラクダを。」と言い残して死んでしまった。そこで、前述の(※3)話を思い出した近所の人が自分のラクダを連れてきて解決してみせようとした。長男には 1/2 の 6 頭、次男には 1/3 の 4 頭、三男には 1/6 の 2 頭。

　ところが、今度は 3 人のラクダを合計すると 6 + 4 + 2 = 12 頭となり、連れてきたラクダを持って帰ることができず、損をしてしまった。前の話では 1/2 + 1/3 + 1/9 = 17/18 になるのに対し、1/2 + 1/3 + 1/6 = 1 となり、（　②　）に気づかなかったのだ。

(※1) アラビア：Arabia　阿拉伯　아라비아　(※2) 割り切れる：can be divided by ...　整除　나누어 떨어지다

(※3) 前述の：前に述べた

問1　①この話とはどんな話か。最も適当なものを選びなさい。

　1　分数の苦手な人の話　　　　　2　ラクダの分配の話

　3　分数に興味を持った人の話　　4　アラビアの老人の話

問2　（　②　）に入る最も適当なものはどれか。

　1　数が少なくなること　　　　　2　数が多くなること

　3　割り切れて余りがなくなること　4　また割り切れなくなること

問題（p.105）の答え：問1. **2**　問2. **4**

（左ページの答え→3・5）

論説文を読もう

まとめの問題
もんだい
Summary questions 綜合問題 정리 문제

制限時間：25分
せいげんじかん　　　ふん
問題1：1問10点×4問
もんだい　　もん　てん　　もん
問題2：1問15点×4問
もんだい　　もん　てん　　もん
答えはp.111
こた
部分翻訳や解説は別冊 p.13 ～ 14
ぶぶんほんやく　かいせつ　べっさつ

点数
てんすう
／100

問題1 次の（1）から（2）の文章を読んで、後の問いに対する答えとして最もよいものを
1・2・3・4から一つ選びなさい。　　🔊)) No.46

（1）

　もし、あなたが草原にいて目の前に猛獣(※1)が現れたとしたら、人間の自然な行動とし
もうじゅう
て全力で逃げ出すだろう。しかし、逃げ出すのはかえって危険になり、いちばん身近な木
に登って待つのがよい場合もある。

　私たち人間は、このようなときその場の状況をとっさに(※2)判断し、正しく行動すると
いう知恵を働かせなければならない。このことは、毎日の生活についても言えることであ
る。例えば、おふろにお湯を貯めるとき、人が入ってもあふれないように水の量を加減し
た
なければならない。お客さんの来る時間に合わせて料理を用意しなければならない。つま
り、やろうとしていることの目的を考慮に入れておくという基本的な知恵が必要なのだ。
こうりょ

（※1）猛獣：肉食の、性質が荒々しい動物
もうじゅう　にくしょく　せいしつ　あらあら
（※2）とっさに：ほんの少しの間に

1 このようなときとはどんなときか。

　　1　危険を感じたとき

　　2　草原にいるとき

　　3　木に登っているとき

　　4　日常生活を送るとき

2 この文章で筆者は何を言いたいのか。

　　1　危険を感じたときの行動の仕方を学ぶべきだ。

　　2　状況判断を間違えると危険である。

　　3　日常生活を送るうえで、知恵を働かせることが必要だ。

　　4　目的をもって日常生活を送るべきだ。

（2）

　スピーチをする際に困るのは、自分がしゃべっているうちに会場が白けて（※1）しまうこと。こうなるとよけいに緊張が高まって、スピーチがしどろもどろ（※2）になってしまう。こんなときにかねてから（※3）用意しておいた①「笑いのツボ」、つまり絶対にウケる（※4）話をすれば会場が一気になごみ（※5）、話を聞いてもらえる環境を作ることができる。

　といっても普通の人はスピーチや挨拶をする機会はそんなに多くないので、「ウケるパターン」を体で覚えるところまではいかないという人もいるだろう。

　しかし、しゃべりというのは何もパーティー会場だけでするものではなく、会社の朝礼や取引先との会話など普段からしているもの。日頃の会話の中でも、自分のネタ（※6）がウケているかどうかを客観的に判断するように意識することが肝心である（※7）。

　そして、少しでもウケたネタがあったら、それを何回か使ってブラッシュアップ（※8）し、絶対にウケるネタに仕上げていく。そうすれば、②スピーチに自信が持てるようになる。

（高嶋秀武『話のおもしろい人、つまらない人』PHP 研究所）

（※1）白ける：気まずくなる　　　（※2）しどろもどろ：話し方がきちんとしていない様子
（※3）かねてから：前から　　　　（※4）ウケる：気に入られ好まれる
（※5）一気になごむ：急に雰囲気がよくなる　（※6）ネタ：（この場合）話の材料
（※7）肝心である：とても大切である　　　（※8）ブラッシュアップ：さらに良くすること

3 ①「笑いのツボ」とあるが、ここではどういうことか。

　　1　みんなが笑えるような環境
　　2　おもしろい話を聞いている人の笑い声
　　3　みんなが白けた話
　　4　みんなの反応がよかった話

4 ②スピーチに自信が持てるようになるためには、どうすればいいか。

　　1　みんなの反応がよかった話をさらによくしていくように訓練する。
　　2　会社などで成功するように努力する。
　　3　緊張しないように体の訓練をする。
　　4　スピーチをするとき、話が途中で止まらないように努力する。

問題（p.107）の答え：問1. **2**　問2. **3**

次の文章を読んで、後の問いに対する答えとして最もよいものを１・２・３・４から一つ選びなさい。

🔊 No.48

A
　障子は破ろうと思えばすぐ破れる。ちょっとものが触ったり、子供が指を突いただけで破れてしまう。こんな弱い商品はない。しかしだれもが、障子は欠陥商品だから、もっと強度を上げろとは主張してはいない。この障子というものは、①もののあり方の非常によい面を示している。ものがメーカーの努力によってよくなった。丈夫になって、ちょっとやそっとでは壊れない。このことが使う側に乱暴に扱っても平気という粗暴な気持ちを養ってしまった。ものによって人間が育てられるということの逆現象である。丈夫なもの、壊れないものを使って、知らぬ間に壊れていったのは人間自身のほうだ。だが障子は、弱いがゆえにこそ、取り扱う者に丁寧な扱いを要求する。それによって、扱う者が育つ。昔ながらに、障子のあけたて(※1)一つにしても作法があるのは、そういう意味を持っているのである。

B
　それだけではない。障子は、直すことを考えるという立場からみたとき、②実にすばらしいものだ。今日の進んだ技術の道具、例えばマイクロ・コンピューターでも自動車でも、直すときは、その故障した部分を修理するのではない。悪い部分を含めたユニット全体を取り替えてしまう。部分修理のめんどう、手間を節約したほうがより合理的だという姿勢である。仮にICが二十個ついたプリント基板があって、そのうち一個が壊れていたとすると、そっくり取り替えてしまうから、壊れていない残りの十九個も廃棄してしまう。そういう修理方法が最近ではきわめて多くなってきた。これは障子の修理の仕方と正反対である。

C
　障子では、一箇所破れたといっても全部取り替えるようなことはしない。そればかりか、破れた桝の一五センチ角ぐらいの紙全体を切り取ってそこに新しい紙をはるというようなことさえ、初めはしない。まずは、破れた所を元に戻し、破れ目に、色紙を紅葉の葉にかたどってはるというようなことをする。すると、その障子は、修理する以前よりも美しくなる。たいていのものは壊れる前を100とすれば壊れて30、直して80がいいところだが、障子は破れる前が100で、直せば130にもなる。壊れて修理したほうがより美しくなる。パリから有名なデザイナーが来て、日本の建築をあちこち見て歩いたとき、破れた障子に、紅葉や桜がはってあるのに、いたく(※2)感じ入って、そればかりカメラに収めて帰ったという。

D
　ものを直すということは人間にとって非常にだいじなことであり、道具というものにほんとうの愛情を感じる源でもある。修理は機械と人間とが一体となることなのだ。

（森政弘「障子の破れに学ぶもの」『中学新しい国語３〈平成９年度〉』東京書籍）

（※１）あけたて：開け閉め

（※２）いたく：たいへん、とても

⑤ ①もののあり方の非常によい面とは、ここではどのようなことか。

1　丈夫でこわれないこと

2　使う側が乱暴に扱っても平気であること

3　取り扱う者に丁寧な扱いが必要なこと

4　強度を上げる必要のないこと

⑥ ②実にすばらしいものだとあるが、筆者によると、それはなぜか。

1　障子は進んだ技術により、部分修理できるようになったから。

2　障子は一箇所破れたぐらいでは修理する必要がないから。

3　障子の修理は、手間がかからず合理的であるから。

4　障子は、壊れて修理したあとのほうが美しくなるから。

⑦ 左の文章のどこかに次の文章が入るが、それはどこか。

「今日、機械はどんどん進歩して、壊れたからといって素人が手を出すことはできない。専門家にしか直せないものほど、進歩的で価値あるものと思いがちだ。もちろんその考えもあながち間違いではない。だが、素人にすぐ直せるようなものを軽く見るようになると間違ってくる。」

1　AとBの間　　2　BとCの間　　3　CとDの間　　4　Dの後ろ

⑧ 筆者はこの文章で何を言いたいのか。

1　素人の修理も、専門家が直すことと同様、重要なことである。

2　ものを修理することによって、ものを大切にする気持ちが育つものだ。

3　ものを修理することは、実は進歩的で合理的なことだ。

4　ものを修理するときは、修理後のほうがよりよくなるようにすべきである。

まとめの問題（p.108〜p.111）の答え：
問題1　① 1　② 3　③ 4　④ 1　　問題2　⑤ 3　⑥ 4　⑦ 3　⑧ 2

模擬試験
も　　ぎ　　し　　けん

〉 ──────────────────────────────── 〈

答え・問題の部分翻訳・解説は別冊にあります。
こた　 もんだい　 ぶ ぶんほんやく　 かいせつ 　 べっさつ

Answers, translations of excerpted sentence and explanations can be found in the separate booklet.
答案·问题的读解文的一部分翻译·解说在附录的别册里。
대답 · 발췌 문장의 번역 · 해설은 별책에 있습니다 .

模擬試験

制限時間：50分
答え・部分翻訳・解説は別冊 p.14 〜 17

点数
／100

問題1　次の（1）から（4）の文章を読んで、後の問いに対する答えとして最もよいものを、
　　　　1・2・3・4から一つ選びなさい。　　　　　　　　　　　　（4問×5点）

（1）

🔊 No.49

　出来立ての熱々の(※1)揚げ物(※2)は、多くの人に好まれますが、健康面から言うと、油をとりすぎることになり、カロリーが高く、ダイエットには向かないと言われています。この「エアーフライヤー」なら、油はほとんど使わないので、カロリーが低く、ヘルシーな揚げ物が簡単にできます。また、料理時間も短縮できるので、忙しい人にはうれしい調理器具です。

（※1）熱々の：とても熱い
（※2）揚げ物：たっぷりの油を熱して、その中に入れて調理した料理

1　この文章で最も言いたいことはどれか。

1　ダイエットしている人にとって、揚げ物はカロリーが高すぎる。

2　揚げ物のカロリーを下げるためには、料理する時間を短くしたほうがいい。

3　「エアーフライヤー」を使って作る揚げ物は、油が少なくヘルシーである。

4　多くの人が「エアーフライヤー」という調理器具をほしいと思っている。

（2）

🔊 No.50

　変わったロボットを開発しているチームがある。ゴミを拾えないゴミ箱ロボット、物語を忘れるお話ロボットなど。ロボットというと賢くて人を助けるというイメージがあるが、そのロボットは見た目も弱々しく、ひとりでは目的を果たせないが、頼りなくて思わず人が助けたくなるというもの。もともと未完成のロボットに子供たちが寄ってきて助けようとしたのを見た開発者が、この完成度の低さが人の優しさを引き出すのに役に立つと気づいたのだという。

2　この変わったロボットを開発する目的は何か。

1　人の優しさを引き出すこと

2　子供たちの関心を集めること

3　高齢者の話し相手をすること

4　ロボットのイメージを変えること

（3）

　皆様

　先日お送りしたさくら中学 30 期生の同窓会の案内ですが、まだお返事をいただいていない方々に、再度お誘いのメールをお送りしています。すでに、先生方からも参加というお返事を数多くいただいています。まだ 4 か月も先のことで、予定が立たない方も多いかと思いますが、今回限りのイベントになるかもしれませんので、できるだけご参加くださるようお願いいたします。今月末を締め切りにしたいと思っていますので、出席の方は、このメールへの返信でお知らせくださるようお願いします。

　なお、詳細については、先日お送りしたメールを以下に添付しておきます。

[3] このお知らせで最も言いたいことはどれか。

1　最初で最後になるかもしれない同窓会の参加を呼びかけている。

2　これは、先日の同窓会の案内メールを送らなかった人に向けてのメールである。

3　このメールの送信者は、先生以外から同窓会の案内の返事を受け取っていない。

4　まだ同窓会の返事をしていない人は、予定が立たないからである。

（4）

　天気予報で黄砂（※）が飛んでくると知ると、鼻や口に入らないようにマスクをする、洗濯物を外に干さないようにするなどの注意が必要で、黄砂は人の健康にとって悪いものという印象がありますが、実は地球の環境には良い面もあるようです。黄砂には鉄がふくまれていて、その鉄が海に運ばれると、海の生き物のえさになる植物プランクトンの生育を助ける働きをするため、海が豊かになるのだそうです。

（※）黄砂：西の方から日本に飛んでくる黄色い砂

[4] この文章の内容と合うものはどれか。

1　黄砂は海に植物プランクトンを運んでくる。

2　黄砂は人の健康にとって悪いものではない。

3　黄砂は森林がなくなったことによって起きる。

4　黄砂にふくまれる鉄は海を豊かにする働きがある。

問題2 つぎの（1）と（2）の文章を読んで、後の問いに対する答えとして最もよいものを、
1・2・3・4から一つ選びなさい。 （4問×6点）

（1） 🔊 No.53

　交換留学で日本に来ているハンニと一緒にタクシーに乗った時、ハンニが運転手さんに「こん
にちは」と言った。運転手さんは挨拶も返さずに、もそもそして（※1）いた。そういえば、タクシー
に乗った時には、ふつう挨拶はしない。いくら「こんにちは」が午後の挨拶と知っていても、い
つ言うか、いつ言わないかを知らなければ使えない。（中略）

　ライヤ（※2）の面白い話がある。ライヤは、久しぶりに子供を預けて新宿にでも踊りに行こうかと、
友達をさそってマンションを出た。近所の奥さんに会うと、

「どちらへお出かけですか？」

ときかれた。ライヤは、プライベートな領域（※3）に深く立ち入るこの失礼な質問が許せなかった
という。ある時、ライヤは近所の人にこの質問をしてみた。すると答えは、

「ちょっとそこまで」

　そこ？どこだろう？何のことかわからなかったこの言い方も、今ではすっかりライヤの使用語
彙に入っているという。「サヨウナラ」と言われたら「サヨウナラ」と返すのと同じように、「ど
ちらへ？」ときかれたら、「ちょっとそこまで」と言えばいい。本当に好奇心の裏づけがあって（※4）、
「どこへ行くのか」つきとめたい（※5）と思う人は、あまりいない。

（稲垣美晴『フィンランド語は猫の言葉』角川文庫）

（※1）もそもそする：落ち着かないようす　　　（※2）ライヤ：人の名前
（※3）領域：部分、テリトリー
（※4）好奇心の裏づけがあって：ここでは、知りたいという理由で
（※5）つきとめる：はっきりさせる

---

5 「ちょっとそこまで」という返事は、どういう時にどのように使うのか。

1　何を聞かれているのか、よく理解できない時に使う。

2　プライベートのいろいろな質問に答えたくない時に使う。

3　行き先をくわしく言う必要がなく、ただ挨拶を返したい時に使う。

4　どこへ行くのかと聞くのは失礼だと相手に知らせたい時に使う。

---

6 この文章の内容と合っているものはどれか。

1　タクシーの運転手に「どちらへ？」と聞かれたら、「ちょっとそこまで」と言えばいい。

2　挨拶の意味だけを覚えるのではなく、いつ使い、いつ使わないのかも知る必要がある。

3　ライヤは「ちょっとそこまで」という表現の使い方を理解はしても、まだ今も使えない。

4　日本人とうまくつきあうには、プライベートの領域に立ち入る挨拶も学ぶ必要がある。

(2)

🔊 No.54

　もっとも大切なことですが、現在の日本では、すべての予防接種^(※1)が任意^(※2)であり、接種が義務づけられているものはひとつもありません。

　予防接種には、定期接種と任意接種がありますが、どちらも任意ということです。いっぽうが「任意」という名前になっていますので、定期のほうは「任意でない」という印象を受けますが、（　　　　　　　　　）。

　法律の観点からも、もちろん憲法上の観点からもワクチンを「打つ」「打たない」の選択は自由であり、本人および保護者が決めてもいいのです。子どもに打つ場合、判断できる年齢であれば、本人の意思も尊重して^(※3)ください。

　そして、予防接種を受けるかどうかに決まった答えはありません。何をメリットと考え、何をデメリットと考えるのかは、100人いれば100とおりの考えがあるからです。

　ですから、「絶対に打たなければならない」、あるいは、逆に「絶対に打ってはいけない」という極端な意見はどちらも間違いです。

　どのような立場の人が、どのような理由をつけても決して強制はできません。「おすすめする」という範囲内にとどめるのは問題ありませんが、強制するのは憲法の基本的人権の侵害^(※4)にあたります。

（本間真二郎『新型コロナ　ワクチンよりも大切なこと』講談社ビーシー／講談社）

（※1）予防接種：その病気にかかりにくくするための注射などのこと、ワクチン

（※2）任意：判断をその人の自由にまかせること

（※3）尊重する：価値があって大切なものと思う

（※4）侵害：他人の権利や利益などに損害を与えること

---

7 （　　　）の中に入る文で正しいものはどれか。

1　どちらも任意であり義務ではありません

2　どちらも任意とも義務とも言えません

3　どちらも名前の付け方が間違っています

4　どちらも同じ意味なので、一つの言い方に統一すべきです

8 著者がこの文章の中で言いたいことはどれか。

1　ワクチンは打たないより打つほうがいいが、義務ではない。

2　ワクチンを接種することより、もっと大切なことがある。

3　ワクチンを接種するかどうかの判断は個人の自由なので強制してはいけない。

4　ワクチンのメリット、デメリットを明らかにしてから勧めるべきだ。

模擬試験

次のＡとＢはそれぞれ、セルフ式の機械について書かれた文章である。二つの文章を読んで、後の問いに対する答えとして最もよいものを、1・2・3・4から一つ選びなさい。

(2問×8点)

A

🔊)) No.55

中の人がボタンを押している？

　最近、いろいろな仕事の現場で、機械が人間の代わりに働いている。スーパーやコンビニのセルフレジ(※1)、セルフ式のガソリンスタンドなど。店員はそばで見ているだけというところもあって、もう人間は要らなくなるんじゃないかと思わせられる。

　しかし、先日、人から聞いた話によると、ガソリンスタンドのセルフ式の機械は、「危険物取り扱い」の資格(※2)を持った人がボタンを押さないとガソリンが出ないのだという。そういえば、給油(※3)しようとしても、すぐにはガソリンが出なかったという経験がある。建物の中にいる人がカメラの画面で、給油しようとする客の様子を見るのが遅れると、ボタンを押すのが遅くなったりするのだろう。

　やっぱり、まだ人の手を必要とする仕事はなくならないようだ。

（※1）セルフレジ：買い物をした人が自分で支払いの作業ができる会計システム
（※2）資格：その仕事をするのに必要な条件　　　（※3）給油：ガソリンを入れる

B

セルフレジって、どうですか？

　セルフレジと言っても、完全セルフと半分セルフがある。商品のスキャン(※1)も支払いも全部客がする完全セルフ、店員が商品をスキャン(※1)して支払いだけ客がする半分セルフ。最新式のものとしては、タグ(※2)がついた商品の入ったカゴをレジに置くだけで、支払額がわかり、店員は何もせず、客が支払うだけというのもあって、初めて使った時は感動した。

　医療機関でもセルフレジを導入していて、待ち時間が短くなって便利だと思う。しかし、先日久しぶりに行った眼科のそれは、理解に苦しむものだった。自分でお金を機械に入れて支払いをするのだが、紙幣(※3)を立たせて入れる変な機械だった。目が悪くて眼科に来ている老人が「入れにくいなあ。」とセルフレジと格闘して(※4)いるそばで、「すみませんねえ。」とだけ言うスタッフ。どうにかならないのだろうか。

（※1）スキャン：値段などの情報を読み取ること　　　（※2）タグ：商品についての情報が書かれた札
（※3）紙幣：千円札や1万円札など　　　（※4）格闘する：何かをするために苦労して取り組むこと

9 A と B に共通する内容はどれか。

1 セルフ式機械を導入するための資格についての説明

2 いろいろなタイプのセルフ式機械の紹介と使われ方の現状

3 セルフ式機械がどのように開発され進化したかの紹介

4 機械の導入で、人間のする仕事がなくなることへの心配

10 正しいものはどれか。

1 A はセルフ式の機械の導入が人を楽にしていると歓迎（かんげい）している。

2 B は医療機関でセルフレジを導入することに反対している。

3 A も B もセルフレジは店員だけに役立っていると批判（ひはん）している。

4 A も B も完全に機械が人に代わるのは難しいと考えている。

次の文章を読んで、後の問いに対する答えとして最もよいものを、1・2・3・4から一つ選びなさい。 （3問×8点）

🔊 No.56

①「＿＿＿＿＿」とは言うまい（※1）

　ある中学へ行くと、教室に「掃除をさぼらないように」とあって、「さぼる人がいると、他人に負担がかかり、他人の人権をおかすことになります」と書いてあった。ぼくは、とてもいやな気がした。

（中略）

　もちろん、働くほうにまわることの多い人間と、さぼるほうにまわることの多い人とが、できてはくる。それは不公平だと、目にかどたてる（※2）よりは、おたがいに気持ちよくつきあったほうが、たぶんよいクラスができる。公平ばかり考えて、みんなが一律に（※3）きゅうくつになるより、ずっとよい雰囲気になるだろう。

　だいたい、人間がケシカランと言っているときは、自分自身がどれだけ損害を受けているか考えると、たいしたことでないのが多い。損害をうけているときは、ケシカランなどという前に、損害を回復する方策を考えるものだ。

　それで、ケシカラン主義者は、たいていオセッカイになりやすい。自分の直接的な被害というより、みんなが働いているときにサボリのおる（※4）のはケシカランと、わきから言ったりする。

（中略）

　しかし、ぼくはクラス全員が熱中したりするより、一人や二人はそれに背を向ける人間がいたほうが、クラスの雰囲気がこりかたまらない（※5）と思う。②異端をかかえこむことこそ、集団にはなにより必要なのである。

　クラスのほとんどが、ある方向に向いているとき、それにそっぽを向く（※6）人間の存在は、とても大事なのである。別の方向のあることを気づかせたり、一方向に進むのにブレーキの役わりを果たす、とても大事な人間なのである。それは、少しもケシカランことではない。

　自分とちがった考えを持つ他人がいるというのは、とても貴重なことだ。人間は、一つの考えを持つと、その考えにこりかたまりやすいので、それをほぐすためには、違う考えの人間がいたほうがよい。

　このことを知るのは、少年期では、とても大事なように思う。最初は、自分の考えを

持ちはじめると、それと違う他人の存在がゆるせないように、思いがちだ。それが、違う意見の他人の存在の意味を感じはじめるのは、中学生あたりの時期からだろう。だから、ケシカランという前に、こうしたことを考えるのが、とても大事な時期なのである。

（森毅『まちがったっていいじゃないか』ちくま文庫）

（※1）言うまい：言わないでおこう　　　（※2）目にかどたてる：怒って人をにらみつける

（※3）一律に：同様に、例外なく　　　　（※4）サボリのおる：さぼる人がいる

（※5）こりかたまらない：一つのことだけに熱中しない

（※6）そっぽを向く：別の違う方向を見る

---

11 タイトルの①「＿＿＿＿＿」とは言うまいの「　　」の中に入るのはどれか。

1　サボろう

2　オセッカイだ

3　ケシカラン

4　ブレーキをかけよう

---

12 ②異端をかかえこむとは、ここではどういう意味か。

1　みんなとは違う考えをする人の存在を認めること

2　変わった考えをする人を大切にすること

3　自分と違う意見の人と話し合いをすること

4　少数の意見をできるだけ取り入れること

---

13 筆者がこの文章で一番言いたいことはどんなことか。

1　自分の考えと違うという理由で、他人の言動を許せないと思うのは、中学生くらいのときには当然で仕方がないことだ。

2　中学生くらいのときに、みんなと同じような考え方をしないで、人と違う意見をもつようにすべきだ。

3　中学生くらいのときに、クラスのルールなどに従わない人たちの存在を認めながら、その人たちを正しい道に導いていくことが重要である。

4　自分と違う考えの人の存在が貴重であるということを、中学生くらいのときに知ることが重要だ。

模擬試験

問題5 右のページは、ある旅行保険のプランである。下の問いに対する答えとして最もよい
ものを、1・2・3・4から一つ選びなさい。 （2問×8点）

14 先日、大谷さんは、韓国に行くツアーに申し込んだ。旅行をキャンセルしなければならない時のために、旅行保険会社のキャンセル料を補償する(※)プランにも申し込みをした。次の文で正しいのはどれか。

（※）補償する：損害が出た場合に、その損害が少なくなるようにすること

1 保険料が3000円になるのは、旅行代金が20万円以下の場合だけである。
2 保険料を3000円払うと、キャンセル料に関係なく、20万円が補償される。
3 保険料を多く払うと、キャンセル料の割合がそれに応じて上がっていく。
4 保険料に応じて、保険金額も変わってくるが、補償はキャンセル料の70%である。

15 チャンさんは、一緒に行く予定の友人が病気になり行けなくなったため、自分も旅行を中止した。キャンセル料を補償するプランを契約していた。旅行代金は20万円で、キャンセル料は50%だった。保険会社から支払われる金額について正しいのはどれか。

1 友人の病気が理由なので、チャンさんのキャンセル料の補償はゼロである。
2 旅行代金のキャンセル料の7割なので、7万円が支払われる。
3 キャンセル料の補償は5割なので、10万円支払われる。
4 最大20万円を補償というプランで、その7割なので、14万円が支払われる。

海外旅行キャンセルサポート

旅行会社に申し込んだ旅行をキャンセルすると、
時期にもよりますが、キャンセル料がかかりますね。
せっかくの旅行、もし何かあって行けなくなってしまったら……
そんな不安をお持ちの方におすすめする保険をご紹介します！
予約した旅行を中止した場合の航空券や旅行代金の取り消し料をサポートします。

例えばこんな場合にキャンセル料を保証します。

パスポートを
なくしてしまった！  キャンセル料の **70%** を補償

同行者が急病やケガで行けなくなり、
自分も航空券をキャンセルすることに！

同行者事由の場合もご自身のキャンセル料の
70% を補償します。
※出国予定日の前々日から翌日のうち、
いずれかに通院しキャンセルした場合にのみ補償

保険金請求時のお支払いの一例

旅行代金合計
20万円
の場合

→

キャンセル料が旅行代金の 30%の場合
旅行会社から返金されない金額
＝ キャンセル料 6万円
旅行会社から返金される金額
＝ 14万円

→

お支払いする
保険金の額
4.2万円
（キャンセル料6万円×70%）

ご契約プラン一覧 （旅行者1名様あたり）

★この保険はご負担いただく航空券や旅行代金のキャンセル料の 70%を補償する保険ですので、
その金額を参考にご契約プラン（保険金額）をお選びください。

保険料	3,000円	4,500円	6,000円
保険金額の限度額	20万円	30万円	40万円

模擬試験

イラスト	花色木綿
翻訳・翻訳校正	Rory Rosszell ／石川慶子／株式会社アミット（英語）
	株式会社シー・コミュニケーションズ／株式会社アミット（中国語）
	李銀淑／株式会社アミット（韓国語）
ナレーション	菊本平／田中杏沙
編集協力・ＤＴＰ	株式会社あるむ
装丁	岡崎裕樹
印刷・製本	株式会社光邦

「日本語能力試験」対策

日本語総まとめ N2 読解 ［増補改訂版］

2010年10月14日　初版　第1刷発行
2023年　8月25日　増補改訂版　第1刷発行

著　者	佐々木仁子・松本紀子
発　行	株式会社アスク
	〒162-8558　東京都新宿区下宮比町 2-6
	TEL 03-3267-6864
発行人	天谷修身

アンケートにご協力ください.

 https://www.ask-books.com/support/

N2 読解
どっかい

別冊
べっさつ

問題 [部分翻訳や解説]
もんだい ぶぶんほんやく かいせつ

まとめの問題 [部分翻訳や解説]
もんだい ぶぶんほんやく かいせつ

模擬試験 [答え]、[部分翻訳や解説]
もぎしけん こた ぶぶんほんやく かいせつ

第1週

1日目 （p.12～13）

問題

〈翻訳〉
ほんやく
他のクーポン券との併用はできません。
ほか　　　　けん　　へいよう
Cannot be used with other coupons.

不可与其他优惠券并用。

다른 쿠폰과 함께 사용할 수 없습니다.

2日目 （p.14～15）

問題

〈翻訳〉
ほんやく
＊特典1
とくてん
店頭 表 示価格
てんとうひょうじ かかく
sticker price　　店铺价格（店头价）　매장 표시 가격

店内全品20%OFF
てんないぜんぴん
all 20% off the original price

店内所有商品按标价优惠20%

점포 표시 가격에서 점포 내, 전 상품 20% 할인

＊特典2
とくてん
もれなく記念品をプレゼント！
きねんひん
Everyone will receive a commemorative gift!

赠送全员礼物！　빠짐없이 기념품 증정！

〈問2の解説〉
とい　かいせつ
「割引 商 品も店頭 表 示価格（＝10,000円）から」
わりびきしょうひん てんとうひょうじ かかく　　　えん
「1万円以上ご購入の際は30% OFF」とあるので
まんえんいじょう こうにゅう さい
10,000円×70％＝7,000円
えん　　　　　　　　　えん

3日目 （p.16～17）

問題

〈翻訳〉
ほんやく
＊未経験者歓迎
み けいけんしゃかんげい
inexperienced people welcome

无需工作经验　미경험자 환영

4日目 （p.18～19）

問題

〈翻訳〉
ほんやく
＊角部屋、エアコン付
かど べ や　　　　　つき
a corner room , with air conditioning

边角房，有空调　모퉁이 방, 에어컨 포함

5日目 （p.20～21）

問題

〈翻訳〉
ほんやく
＊利用案内の下部
りようあんない かぶ
無断で駐輪している場合や、一時利用置き場に
む だん ちゅうりん　　 ば あい　 いちじりようお
2日以上放置されている場合は撤去の対象となり
ふつか いじょうほう ち　　　　 ば あい　 てっきょ たいしょう
ます

bicycles parked illegally or in temporary parking areas for

more than 2 days will be subject to removal

擅自存车或在临时存车处停放2天以上者将予以撤除

자전거를 무단으로 세워둘 경우나 일시 이용 장소에 이틀 이

상 방치할 경우에 철거 대상이 됩니다

〈問2の解説〉
とい　かいせつ
学割2,000円×3ヵ月分。申し込みの際は料金
がくわり　えん　　　げつぶん　もう　こ　　さい りょうきん
（契約する月数分）が必要と書いてある。
けいやく　　げっすうぶん　ひつよう　か

6日目 （p.22～23）

問題

〈翻訳〉
ほんやく
＊Bの調理方法の8行目
ちょうりほうほう　 ぎょうめ
マカロニは別にゆでる必要のないよう加工してあり
べつ　　　　ひつよう　　　　　かこう
ます。

The macaroni is processed so that it does not need to be

boiled separately.

通心粉已经过加工，无需额外加热。

마카로니는 따로 삶을 필요가 없도록 가공되어 있습니다.

〈問2の解説〉
とい　かいせつ
問の「AとBの両方について」に注意しよう。
とい　　　　　　　りょうほう　　　　　ちゅうい

7日目　まとめの問題（p.24 〜 26）

問題1

〈翻訳〉

＊ⅠのＣ ターミナルホテル森山の備考

森山駅 直 結で交通至便

Directly connected to the Moriyama station with excellent

access to transportation.

直通森山车站交通方便。

모리야마역에 직결되어 있어 교통이 무척 편리함 .

全室無線 LAN 完備

Wi-Fi environment in all rooms

所有房间均配置无线局域网　전실 무선 L A N 완비

＊Ⅱのターミナルホテル森山のプラン名

３連泊 出 張 応援プラン

3-Night Business Trip Support Plan

4 天 3 夜出差支援方案　3 일 연속 숙박 출장 응원 플랜

【お日にち限定】格安プラン

[Limited Days Available] Cheap Plan

【限定日期】优惠方案　[날짜 한정] 저렴한 플랜

問題2

〈 4 の解説〉

シャツもズボンもコートも服の種類には関係なく数

えればいい。

Shirts, pants, coats, etc., each count as one item.

无论是衬衣、裤子、大衣，所有衣服不分种类，只算件数。

셔츠도 바지도 코트도 옷의 종류와는 관계없이 숫자를 세면

된다 .

第2週

1日目　（p.28 〜 29）

問題

〈翻訳〉

＊推薦の言葉の３〜５行目

若さに似合わない高度な技術と美しいバイオリン

の響きに驚かされたものです。

I was amazed by her advanced technique and the beautiful

violin sound that did not match his youth.

我对她展现出的高超技术和美妙的小提琴音色感到惊讶，这

样的技术与他的年纪并不相符。

어린 나이답지 않은 고도의 기술과 아름다운 바이올린의 울림

에 놀라움을 금치 못했습니다 .

＊推薦の言葉の 10 〜 12 行目

ギタリスト２人とピアニストと一緒ににぎやかに、

ということで彼女のまた違った一面が見られそうで

す。

We might see a difference side of her as the performance

will be quite lively with two guitarists and a pianist.

她和钢琴手及两名吉他手一起欢快热烈的配合演奏，显出她

与平日不同的个性风格。

두 명의 기타리스트와 한 명의 피아니스트로 함께 활기찬 연

주를 하는 , 그녀의 또 다른 일면을 볼 수 있을 것 같습니다 .

2日目　（p.30 〜 31）

問題

〈全体の解説〉

＊Ｂの本文の３〜４行目

「断水となる恐れがあります」＝まだ断水になって

いないが、その心配がある

〈翻訳〉

＊Ａの本文の４行目

赤く濁った水が出る場合は市水道課までご連絡をお

願いします。

If you see reddish, cloudy water, please contact the city

water department.

如果出现红色混浊的水，请联系市政供水部门。

붉은색의 탁한 물이 나오면 시 수도과로 연락해 주시기 바랍

니다 .

3日目　（p.32～33）

問題

〈翻訳〉
ほんやく

＊本文の2～3行目
ほんぶん　ぎょうめ

美しい自然豊かな海水浴場で、遊べるスペースも
うつく　しぜんゆた　かいすいよくじょう　あそ
たくさんあります。

It is a beautiful natural beach with plenty of space to play.

在自然资源富饶的美丽海滩上，有许多可供游玩的空间。

자연이 풍요로운 아름다운 해수욕장으로 놀 수 있는 공간도

많습니다 .

〈問2の解説〉
とい　かいせつ

2は参加費に交通費・食事代が含まれていると書
さんかひ　こうつうひ　しょくじだい　ふく　か
いてあるので正しくない。
ただ
4は「小雨決行」（＝少しの雨なら中止しない）と
こさめけっこう　すこ　あめ　ちゅうし
書いてあるので正しくない。
か　ただ

4日目　（p.34～35）

問題

〈全体の解説〉
ぜんたい　かいせつ

＊「メーカーの都合」とある。
つごう
＊メールは手紙より形式が簡単になっている。
てがみ　けいしき　かんたん

E-mail messages have a more simplified form than letters.

电子邮件的形式比书信简单。

전자 메일은 편지보다 형식이 간단하게 되어 있다 .

〈翻訳〉
ほんやく

＊本文の5～6行目
ほんぶん　ぎょうめ

納期より1週間遅れでメーカーから直接配送させ
のうき　しゅうかんおく　ちょくせつはいそう
ていただく予定です。
よてい

We plan to deliver directly from the manufacturer with a
one-week delay from the delivery date.

将由制造商直接发货，预计会比交货期晚一周。

배송은 납기 예정일보다 1 주일 정도 늦어지며 , 제조사에서

직접 배송할 예정입니다 .

5日目　（p.36～37）

問題

〈全体の解説〉
ぜんたい　かいせつ

A「～させていただくことになりました」は「～す
ることにしました」の謙譲語。とても丁寧な言い
けんじょうご　ていねい　い
方。
かた

「～させていただくことになりました」 is an honorific form
of 「～することにしました」. A very polite expression.

「～させていただくことになりました」是「～することにし
ました」的自谦语，是很有礼貌的说法。

「～させていただくことになりました」 는 「～することにし
ました」 의 겸양어 . 아주 정중한 표현 .

〈翻訳〉
ほんやく

＊Aの本文の3～4行目
ほんぶん　ぎょうめ

面接の結果につきまして慎重に協議いたしました
めんせつ　けっか　しんちょう　きょうぎ
が、残念ながら、今回は不採用とさせていただくこ
ざんねん　こんかい　ふさいよう
とになりました。

After carefully discussing the results of the interview, we
regret to inform you that we have decided not to hire you
at this time.

我们经过认真讨论并慎重地做出有关面试的结果，很遗憾地
通知您，我们决定不予录用。

면접 결과에 대해 신중하게 논의했으나 , 유감스럽게도 이번에
는 채용하지 않기로 했습니다 .

6日目　（p.38～39）

問題

〈翻訳〉
ほんやく

＊本文の6行目
ほんぶん　ぎょうめ

なお、本状と行き違いにお支払い済みの場合はお
ほんじょう　い　ちが　しはら　ず　ばあい
許しください。
ゆる

Please kindly ignore this notice if payment has been com-
pleted.

此信若在您已经付款之后寄到，敬请原谅。

아울러 , 이미 요금을 지불한 상태에 본 서장이 도착했을 경우
에는 양해해 주십시오 .

7日目　まとめの問題（p.40～42）

問題1

〈翻訳〉

＊p.40の本文の1～2行目

子どもから大人まで、礼儀を身に付け、仲間づくりをしながら心と体を強くします。

Children and adults alike will learn manners and strengthen their mind and body while making friends.

通过学习礼仪和培养友谊的方式来强化心灵和身体，对象从儿童到成人都适用。

아이부터 어른까지 예절을 익히고, 동료애를 쌓으며 몸과 마음을 튼튼하게 합니다.

＊p.41の本文の3～4行目

生活習慣で体が曲がったり、ずれたりしていませんか？そんな体のゆがみを直して、体調をよくする効果もあります。

Is your body curved or misaligned due to lifestyle habits? Fixing such body distortions is also effective in improving your physical condition.

您是否有因生活习惯而导致身体弯曲或错位的情况？通过纠正这种身体弯曲能够有效改善身体状况。

생활 습관 때문에 몸이 휘어지거나 틀어져 있지는 않나요? 그렇게 틀어진 몸을 바로잡아 건강을 개선하는 효과도 있습니다.

問題2

〈全体の解説〉

＊本文の1行目

「早速ですが」……すぐに用件に入る

〈翻訳〉

＊本文の4行目

会員規約9条に基づき

in accordance with Article 9 of the membership regulations

根据会员守则第9条　　会원 규약 9조에 근거하여

〈④の解説〉

「今月末日」までとある。「今月」は10月。右上に書いてある。

第3週

1日目　（p.44～45）

問題

〈翻訳〉

＊本文の3～4行目

今回のミスは、似た名前の別人に間違った薬を点滴してしまったというものである。

The most recent incident involved an intravenous drip being inadvertently administered to a patient with a similar name.

这次的事故是错把药液输给了姓名相似的其他病人。

이번 실수는, 이름이 비슷한 다른 사람에게 잘못된 점적주사를 놓아 버렸다는 내용이다.

＊本文の7～8行目

大切な命を預かる病院

hospitals that look after precious lives

善待宝贵生命的医院　　소중한 생명을 책임지는 병원

2日目　（p.46～47）

問題

〈翻訳〉

＊上段の3～5行目

そういう親に対して、迷惑だといわんばかりににらむ人がいる。

Some people glare at such parents as if to say that they are a nuisance.

对于这样的父母，总有人不满地盯着他们，以表示对此行为感到困扰。

유모차를 접지 않는 부모를 민폐라는 듯이 쳐다보는 사람들이 있다.

5

＊上段の 8 〜 11 行目

ベビーカーで乗ってくる親たちは、周囲にすまな
さそうにしていることが多いだろう。

I think parents who board with strollers are often apologet-

ic to the people around them.

我认为推着婴儿车的父母们脸上经常会流露出对周围人感到

抱歉的情。

유모차를 끌고 오는 부모들은 주변 사람들에게 미안해하는

경우가 많은 것 같다 .

〈問 2 の解説〉

一般的な意見ではなく、筆者がこの文章の中で
言っていることである。

This is not a common opinion, but what the author is say-

ing in this text.

这不是一般大众意见，而是作者在这篇文章中所表达的观点。

일반적인 의견이 아니라 필자가 이 글에서 말하는 것이다 .

---

3 日目　（p.48 〜 49）

問題

〈全体の解説〉

1 行目の「盗人」は「ぬすっと」とも読む。

〈翻訳〉

＊ 2 〜 3 行目

たとえ泥棒であっても 30% くらいは納得のできる
理由がある

among the reasons for stealing provided by robbers, 30%

is reasonable

即使是小偷也有三分令人同情的理由

설령 도둑이라 할지라도 30%정도는 납득할 만한 이유가 있

다

＊ 11 行目

これなどは被害者をまったく人間扱いせず、効率
のみを考えたやり方である。

In this case, the suspect showed no respect for the victim

as a human and just quickly took what he wanted.

这些完全是不把受害者当人，而是只想到效率的做法。

이러한 것들은 피해자를 전혀 인간 취급을 하지 않고 , 효율만

을 고려한 방법이다 .

4 日目　（p.50 〜 51）

問題

〈翻訳〉

＊ 6 〜 7 行目

わたしたちは、それぞれの段階に特有な人生の喜び
と悲しみを味わいながら生きたい。

We want to live while experiencing the joys and sorrows

that are unique to each stage of life.

我们希望在经历各自人生的不同阶段时，能够品味到独特的

喜悦与悲伤。

우리는 각 단계에 특유한 삶의 기쁨과 슬픔을 맛보며 살고 싶

어 한다 .

〈問 1 の解説〉

第 2 段落の 1 行目に注意。

〈問 2 の解説〉

筆者の意見であり、世間の常識ではない。

This is the opinion of the writer and is not necessarily

common sense.

仅为笔者个人意见，并非世间常识。

글쓴이의 의견일 뿐 , 일반적인 상식은 아니다 .

5 日目　（p.52 〜 53）

問題

〈翻訳〉

＊ 7 〜 8 行目

酔っ払いが周りに迷惑をかけることはあっても、酒
そのものが周囲の人の体に直接影響を与えること
はない。

Although drinkers disturb other people, they don't harm

their health.

喝醉酒的人虽然可能会给周围的人添麻烦，但酒本身并不会

对周围人的身体带来直接的影响。

술에 취한 사람이 주위에 폐를 끼치는 일은 있어도 , 술 자체가 주위 사람의 몸에 직접 영향을 끼치는 일은 없다 .

6日目 （p.54 ～ 55）

問題

〈全体の解説〉

400キロといっても、地球の規模から見ると大した距離ではない。

400 kilometers is not a great distance on the scale of the globe.

虽说是 400 公里，但从地球的规模来看算不上是长距离。

400 킬로라고 하더라도 , 지구 규모에서 보면 그다지 대단한 거리는 아니다 .

7日目　まとめの問題 （p.56 ～ 58）

問題1

〈翻訳〉

＊回答者Aの本文の3行目

私たちは植物や動物の命をいただいて自分の命をつないでいます。

We benefit from the lives of plants and animals in order to sustain our own lives.

我们通过接受来自植物和动物的生命馈赠以延续自己的生命。

우리는 식물과 동물의 생명을 받아 우리의 생명을 이어가고 있습니다 .

＊回答者Aの本文の5～6行目

学校が強制的に「いただきます」と言わなければ絶対にいけないと言わない限り、抗議するほうが間違っていると思います。

Unless the school forces your child to say a " いただきます " (Japanese meal time prayer), I don't think you should complain.

我认为只要是学校没有强制性地要求必须要说 " いただきます "，那么你对此提抗议就没有道理。

학교측이 강제적으로 , 「잘 먹겠습니다」 라고 말하지 않으면

안된다고 말하지 않는 한 , 항의하는 것은 잘못이라고 생각합니다 .

＊回答者Bの本文の6～7行目

料理を作ってくれた人や食べ物を用意してくれた人への感謝の気持ちが自然にわいてくる

a sense of gratitude for those who cooked and prepared the food comes naturally

自然而然地对制作菜肴的人和料理食物的人产生感激之情

요리를 만들어 준 사람이나 음식을 준비해 준 사람에 대한 고마움이 자연스레 생겨난다

問題2

〈翻訳〉

＊1～2行目

歌舞伎のような物語を人形に演じさせる日本の伝統芸能の一つです。

It is one of traditional Japanese performing art in which puppets act out a story like Kabuki.

人偶以一种类似歌舞伎（日本的传统艺术形式之一）的表演形式来演绎故事。

가부키와 같은 이야기를 인형으로 연기하는 일본 전통 예능 중 하나입니다 .

＊11～13行目

生きている人間のように動く人形が喜び悲しむのを見て、観客は人形の生きる世界に引き込まれていくのでしょう。

The audience will be drawn into the world in which the puppets live, seeing the joy and sadness of the puppets that move like living people.

人偶以活生生的人类般的动作表演，观众被吸引进入人偶的世界，感受其喜怒哀乐。

살아있는 사람처럼 움직이는 인형이 기뻐하고 슬퍼하는 모습을 보며 , 관객들은 인형이 살고 있는 세계로 빠져들게 되는 것입니다 .

〈 3 の解説〉

「人形づくり」ではなく「人形つかい」について書

いてある。

〈④の解説〉
2行目に「子ども向けではない」、9行目に「どの
パートにも高い技術と長年の修行が必要だ」と書
いてある。

第4週

1日目　（p.60〜61）

問題

〈翻訳〉
＊6〜7行目
仕事がらみで必要にせまられてのことが多い。
Often it is necessary for work-related reasons.

由于工作的关系，经常需要阅读书籍。

업무상 어쩔 수 없이 필요한 경우가 많다.

2日目　（p.62〜63）

問題

〈全体の解説〉
最後の段落が言いたいこと。

〈翻訳〉
＊最後の行
日本人の日本語知らずには要注意だ。
Be careful of Japanese people who do not know Japanese.

对于不懂日语的日本人要格外注意。

일본어를 모르는 일본인은 주의해야 한다.

3日目　（p.64〜65）

問題

〈翻訳〉
＊2〜4行目
このところ、銀行のいろいろな手数料は、気がつ
かないうちにどんどん高くなっている。
These days, various bank fees are getting ever higher with-

out us even realizing it.

最近银行的各种手续费不知不觉地越来越高了。

최근 은행의 각종 수수료는 모르는 사이에 점점 더 높아지고
있다.

4日目　（p.66〜67）

問題

〈翻訳〉
＊左の段の7〜8行目
その高校生たちが残していったものらしく
apparently there was stuff left behind by the high school

students

好像是那些高中生们乱丢的东西

그 고등학생들이 남겨 놓은 것 같은

5日目　（p.68〜69）

問題

〈翻訳〉
＊14〜15行目
保吉はその幸福に満ちた鼠色の眼の中にあらゆる
クリスマスの美しさを感じた。
Yasukichi found all the beauty of Christmas in his
(priest's) happiness filled grey eyes.

保吉从他那充满幸福的灰色眼睛里，感受到了圣诞节所有的
美。

야스키치（保吉）는, 행복이 넘치는 그 사람의 회색 눈동자
에서 모든 크리스마스의 아름다움을 느꼈다.

6日目　（p.70〜71）

問題

〈翻訳〉
＊19〜20行目
それはいつかカムパネルラのお父さんの博士のうち
でカムパネルラといっしょに読んだ雑誌のなかに
あったのだ。

That was in a magazine that I read with Campanella at her father's doctor's house one day.

那是在过去的某一天，乔瓦尼和卡姆帕内拉一起在卡姆帕内拉父亲的博士家中读到的杂志中提及的内容。

언젠가 캄파넬라 아버지인 박사님 집에서 캄파넬라와 함께 읽은 잡지 속에 있던 내용이었다．

＊22 ～ 24 行目
カムパネルラがそれを知って気の毒がってわざと返事をしなかったのだ、そう考えるとたまらないほど、自分もカムパネルラもあわれなような気がするのでした。

To think that Campanella knew it and felt bad about it, so she didn't respond to me on purpose, made me feel sorry for both myself and Campanella.

卡姆帕内拉明明知道答案却因为可怜我而故意不回答，这样想的话，越发觉得无论是自己亦或是卡姆帕内拉都非常可悲。

캄파넬라가 그 사실을 알고 안쓰러워 일부러 대답하지 않은 것 같다．그렇게 생각하니 나도 캄파넬라도 불쌍하다는 생각이 들었다．

7日目　まとめの問題 (p.72 ～ 75)

問題1

〈翻訳〉
＊3 ～ 4 行目
気になるような女が隣に座ったら、仕事に身が入らないはずだ。

If an attractive girl sat next to me, I would naturally not be able to concentrate on my work.

旁边坐着一个令人心动的女人，当然无法专心工作了。

마음에 드는 여자가 옆에 앉으면，일에 집중이 될리가 없다．

＊16 行目
あるまい（＝あるはずがない）

it can't be ～　　不可能有～　　～있을 리가 없다

＊18 ～ 19 行目
仕事どころではなかった。

I, no way, was able to work.

根本没有心思去工作。　　일을 할 상황이 아니었다．

問題2
〈 6 の解説〉
Bが店側の立場とは言いきれない。

第5週

1日目　(p.78 ～ 79)

問題

〈翻訳〉
＊10 ～ 14 行目
航空業界の受けた損失は 15 億～ 25 億ユーロに上るとみられ、観光業を含めるとさらに損失は拡大するとみられている。

The financial damage to the airline industry may amount to between 15-25 billion euros, and more, if you include the tourist industry.

航空业蒙受的损失预计将超过 15 亿～ 25 亿欧元，若加上旅游业则损失会更大。

항공 업계가 입은 손실은 15 억~ 25 억 유로가 넘을 것이라고 추측되고，관광업을 포함하면，손실은 한층 더 확대될 것이라고 예상되고 있다．

2日目　(p.80 ～ 81)

問題

〈全体の解説〉
デパートの竹屋、丸越は実在しない。

〈翻訳〉
＊記事のタイトル
お中元もエコを主力に
we are also focusing on being environmentally friendly for our mid-year gifts

中元（盂兰盆节）也以环保为主力

백중날도 친환경을 주축으로

＊下段の 12 ～ 13 行目

客に財布のひもをゆるめてもらうのがねらいだ。

They aim to get customers to loosen their wallets.

最终目的都是让顾客掏出钱包。

손님이 돈을 쓰도록 하는 것이 목적이다 .

3日目　（p.82 ～ 83）

問題

〈全体の解説〉
みなと町は実在しない。

〈翻訳〉
＊本文の 15 ～ 16 行目
身元や死因の特定を急いでいる。

They are trying to identify the victim and the cause of her

death.

正在紧急确认身份及死亡原因。

신원이나 사망 원인을 밝히기 위해 서두르고 있다 .

〈問 2 の解説〉
踏切事故ではない。

4日目　（p.84 ～ 85）

問題

〈翻訳〉
＊本文の 7 ～ 9 行目
利用者の中には、これほど便利なものはないという
感想も多く、メーカーも今後の市場拡大を期待し
ている。

Many users have commented that there is nothing else that

is this convenient, and manufacturers expect the market to

expand in the future.

在使用者中，多数人表示这是无比方便的产品，制造商也对

未来的市场扩大抱有期待。

스마트워치 사용자들 사이에서는 이보다 더 편리한 것은 없다

는 평가가 많으며, 제조사들도 향후 시장 확대를 기대하고 있

다 .

〈問いの解説〉
持っている人（15% 近く）の中で、持っているが

利用しない人がその 3 分の 1、つまり約 5% なので、

持っていて利用している人は約 10% になる。

5日目　（p.86 ～ 87）

問題

〈翻訳〉
＊救急活動状況の部分

救急搬送された人のうち医師により軽症で入院
を要しないと判断された割合は約半数でした。

Of those who were transported to the emergency room,

about half were judged by a doctor as having a minor ill-

ness not requiring hospitalization.

被紧急搬送的患者，其中有一半左右被医生判断为轻症不需

要住院。

응급 환자의 약 반수는 의사가 경증으로 입원이 필요하지 않

다고 판단한 것으로 나타났다 .

＊救急安心センター事業利用者アンケートの部分
皆さんの判断の手助けとなります。
It will help you all in your decision making.

这将为大家的判断提供帮助。

여러분의 판단에 도움이 될 것입니다 .

6日目　（p.88 ～ 89）

問題

〈翻訳〉
＊本文の 10 ～ 11 行目
「定義」とはどういうものかということが、ぼんや
りとではあるが見えてくるのである。
You will gradually but vaguely understand what the defini-

tion means.

对如何理解"定义"这个问题，虽然有些模糊，但也会逐渐

清晰起来。

「정의」 란 어떠한 것인가를 어렴풋하지만 알게 될 것이다 .

7日目　まとめの問題（p.90〜93）

問題1

〈翻訳〉
ほんやく
＊6行目
ぎょうめ
復興が進み、新しい町並みが広がるみどり市。
ふっこう すす あたら まちな ひろ し
With ongoing reconstruction efforts, *Midori-Shi* has been

reborn with new streets and new buildings.

绿市灾后重建，走向复兴，不断形成新型街区。

부흥 사업이 진행되어 , 새로운 거리가 펼쳐지고 있는 미도리

시 (미도리市).

＊7行目
ぎょうめ
ここで起こった出来事が昨日のことのように思い出
お できごと きのう おも だ
される。

I can remember the event that occurred here as if it were

yesterday.

这里发生的事件让人感觉仿佛发生在昨天。

미도리시에서 일어난 일이 마치 어제 일처럼 기억에 남는다 .

問題2

〈全体の解説〉
ぜんたい かいせつ
さくら市、さくら署、あおい駅は実在しない。
し しょ えき じつざい
〈翻訳〉
ほんやく
＊14〜16行目
ぎょうめ
死亡したのは70代ぐらいの女性で、身元確認を進
しぼう だい じょせい みもとかくにん すす
めている。

The deceased was a woman in about her 70s, and identifi-

cation is underway.

死者是一位大约70岁的女性，目前正在确认死者的身份。

사망자는 70 대 여성으로 신원을 확인하고 있다 .

問題3

〈翻訳〉
ほんやく
＊Aの本文の5〜6行目
ほんぶん ぎょうめ
この標語を覚えても、保護者と子どもの理解には
ひょうご おぼ ほごしゃ こ りかい
ズレがあるとの意見があります。
いけん
There is the opinion that even if this motto is remembered,

there is a discrepancy between the parents' and the chil-

dren's understanding.

有人认为即使记住了这个标语，监护人和孩子之间的理解仍

然存在差异。

이 표어를 의의식해도 부모와 자녀의 이해에는 차이가 있다는

의견이 있습니다 .

〈[5]の解説〉
かいせつ
1はAにもBにも書かれていない。3と4はAに
か
だけ書かれている。
か
〈[6]の解説〉
かいせつ
1、2、3はAにもBにも書かれていない。
か

第6週

1日目　（p.96〜97）

問題

〈翻訳〉
ほんやく
＊11〜12行目
ぎょうめ
これほど新しい言葉や表現が増えると大半が消え
あたら ことば ひょうげん ふ たいはん き
ていったとしても、かなりの数の新しい言葉が残る
かず あたら ことば のこ
のではないだろうか。

With the number of new words and expressions increasing

this much, a significant number of new words will proba-

bly remain even if most disappear.

即使有大部分的新增的词汇和表达方式会逐渐消失，但相当

数量的新词汇可能会保留下来。

이렇게 새로운 단어와 표현이 많아지면 대부분 사라지더라도

새로운 말이 상당수 남지 않을까 싶다 .

2日目　（p.98〜99）

問題

〈全体の解説〉
ぜんたい かいせつ
この文章のキーワードは「ホルムアルデヒド」で
ぶんしょう
ある。

A keyword in this article is「ホルムアルデヒド（formalde-

hyde）」.

11

この篇文章中的关键词是「ホルムアルデヒド（甲醛）」。

이 문장의 키워드는 「ホルムアルデヒド（포름알데히드）」이다 .

〈翻訳〉
ほんやく
＊12〜14行目
ぎょうめ
なぜならホルムアルデヒドを含む接着剤を使った
ふく せっちゃくざい つか
壁紙を貼った部屋であっても、空気中に含まれる
かべがみ は へや くうきちゅう ふく
ホルムアルデヒドはほんのわずかで、たんぱく質を
しつ
変質させる量には満たないからだ。
へんしつ りょう み

This is because, even in a room with wallpaper with an adhesive that contains formaldehyde, the amount of formaldehyde in the air is negligible and less than the amount that would alter proteins.

因为即使是在使用含有甲醛的胶水粘贴的壁纸的房间中，空气中含有的甲醛也只是极少量，并不足以对蛋白质产生变性的程度。

왜냐하면 포름알데히드가 함유된 접착제로 벽지를 붙인 방이라도 공기 중 포름알데히드는 극소량이며, 단백질을 변질시키는 양에는 미치지 못하기 때문이다 .

3日目 （p.100〜101）

問題

〈翻訳〉
ほんやく
＊7〜8行目
ぎょうめ
場合によっては呼吸困難で死んでしまうこともあるのだ。
ばあい こきゅうこんなん し

In some cases, you could die from breathing difficulties.

有时可能会因呼吸困难而死。

경우에 따라서는 호흡 곤란으로 죽을 수도 있다 .

4日目 （p.102〜103）

問題

〈全体の解説〉
ぜんたい かいせつ
「〜でしょうか」は、疑問の形で読者に呼びかけて、
ぎもん かたち どくしゃ よ
興味を引き出す、よく使われる手法。
きょうみ ひ だ つか しゅほう

Questions are commonly used to increase readers' interest.

用疑问的形式向读者提问，唤起读者的兴趣，这是经常使用的方法。

의문 형태로 독자에게 말을 걸어 , 흥미를 일으키는 것 . 자주 쓰이는방법 .

〈翻訳〉
ほんやく
＊9〜11行目
ぎょうめ
本来は上り坂に差し掛かってスピードが落ちるはず
ほんらい のぼ ざか さ か お
のところを、下り坂でスピードを上げている後部車
くだ ざか あ こうぶしゃ
両に押し上げられ、加速してしまうからです。
りょう お あ かそく

Fundamentally, it slows down as it approaches the uphill slope, but it actually gets pushed by the other cars whose speed has been accelerated on the preceding downhill.

本来在临近上坡时速度理应减慢，但却被下坡加速的后部车厢推动，反而使速度更快。

본래는 오르막에 접어들어야 스피드가 떨어지는데 , 내리막 길에서 스피드를 올리고 있는 뒤쪽 차에 밀려서 , 가속되어 버렸기 때문이다 .

5日目 （p.104〜105）

問題

〈翻訳〉
ほんやく
＊11行目
ぎょうめ
AEDによる処置は時間との勝負です。
しょち じかん しょうぶ

Time is so crucial in the AED treatment.

使用 AED 救治必须争分夺秒。

AED 에 의한 응급조치는 시간과의 싸움입니다 .

6日目 （p.106〜107）

問題

〈翻訳〉
ほんやく
＊14〜15行目
ぎょうめ
前述の話を思い出した近所の人が自分のラクダを
ぜんじゅつ はなし おも だ きんじょ ひと じぶん
連れてきて解決してみせようとした。
つ かいけつ

A neighbor who remembered the story he had heard earlier

brought his own camel to settle the problem.

一位邻居想起往事，便牵来自己的骆驼要帮他们解决难题。

전술의 이야기를 생각해 낸 이웃 사람이 자기의 낙타를 끌고 와서 해결해 보이려고 했다 .

7日目　まとめの問題（p.108～111）

問題1（1）

〈全体の解説〉
ぜんたい　かいせつ

前半はたとえである。後半にもたとえがある。「知恵」が重要なカギとなる言葉である。
ぜんはん　　　　　　　　こうはん　　　　　　　　　ち
え　　じゅうよう　　　　　　　　　　ことば

The first half contains an example. There is another example in the latter half. "*chie*" (wisdom) is a key word.

前半是比喻，后半也有比喻。"知恵（智慧）"是关键词语。

전반에 예가 있고 , 후반에도 또 다른 예가 있다 .「지혜」가 중요한열쇠가 되는 단어이다 .

〈翻訳〉
ほんやく

＊最後の行
さいご　ぎょう

やろうとしていることの目的を考慮に入れておくという基本的な知恵が必要なのだ。
もくてき　こうりょ　い
きほんてき　ち え　ひつよう

It is important to have the wisdom to set your own goals.

事先考虑好所做的事情要达到什么目的，我们应具备这种起码的智慧。

하고자 하는 것의 목적을 고려하는 기본적이 지혜가 필요한 것이다 .

問題1（2）

〈翻訳〉
ほんやく

＊7～8行目
ぎょうめ

しゃべりというのは何もパーティー会場だけですするものではなく、会社の朝礼や取引先との会話など普段からしているもの。
なに　　　　　　　　かいじょう
かいしゃ　ちょうれい　とりひきさき　かいわ
ふだん

Speeches are not limited to parties but are also given at daily meetings in the office or meetings with business partners.

讲话的机会并不只限于宴会上，平时在公司的早会或是与客

户交流时都在讲话。

しゃべりとは別だりにパティ場でだけでなく , 회사의 조례나 거래처와의 대화 등 보통 때 나누는 잡담과 같은 것 .

＊8～9行目
ぎょうめ

日頃の会話の中でも、自分のネタがウケているかどうかを客観的に判断するように意識することが肝心である。
ひごろ　かいわ　なか　　　　じぶん
きゃっかんてき　はんだん　　　　いしき　　　　かん
じん

It is very important to objectively observe whether your comments in daily conversation are well received or not.

重要的是即使在日常谈话中，也要留意并客观判断自己的话题是否吸引别人。

평소의 대화에서도 , 자신의 이야깃거리가 평판이 좋은지 어떤지를 객관적으로 판단하도록 의식하는 것이 중요하다 .

問題2

〈全体の解説〉
ぜんたい　かいせつ

「ものを直す」→「ものに愛着を感じる」→「ものを大切にする」
なお　　　　　　　　あいちゃく　かん
たいせつ

〈翻訳〉
ほんやく

＊7～8行目
ぎょうめ

障子は、弱いがゆえにこそ、取り扱う者に丁寧な扱いを要求する。
しょうじ　よわ　　　　　　　　　　と　あつか もの　ていねい
あつか　ようきゅう

"*Shoji*" require very tender care because they are so fragile.

正是因为糊纸拉门（拉窗）容易损坏，所以更要求使用者小心谨慎。

장지문은 파손되기 쉬우니까 , 취급하는 사람에게 주의깊게 다루는것을 요구한다 .

＊13行目
ぎょうめ

部分修理のめんどう、手間を節約したほうがより合理的だという姿勢である。
ぶぶんしゅうり　　　　　　　　て ま　せつやく
ごうりてき　　　　　しせい

It is less practical to repair damaged items than to throw them out because it requires more time and effort.

这是一种认为省去繁琐费事的局部修理才更为合理的态度。

부분 수리의 번거로움 , 수속 절차를 절약하는 것이 훨씬 합리적이라는 자세 (태도) 이다 .

＊ 20 ～ 22 行目
ぎょうめ

たいていのものは壊れる前を 100 とすれば壊れて
こわ まえ こわ

30、直して 80 がいいところだが、障子は破れる
なお しょうじ やぶ

前が 100 で、直せば 130 にもなる。
まえ なお

If we consider things to be 100 before they break, they become 30 after they break, and can be fixed to 80. "*Shoji*" however can be fixed to 130.

一般的东西若是在完好状态时假设为 100 分的话，在损坏后便贬到 30 分，即使修理好了也充其量回升到 80 分，然而糊纸拉门（拉窗）若是在弄破之前是 100 分的话，那么在修补好后却能升为 130 分。

대게는 망가지기 전의 상태를 100 이라고 하면 , 망가져서 30, 고쳐서 80 이라고 할 정도이나 , 장지문은 찢어지기 전이 100 으로 , 고치면 130 이 되기도 한다 .

〈 5 の解説〉
かいせつ

「障子」が主語になっているほかの文章を探す。（ 7
しょうじ しゅご ぶんしょう さが
～ 8 行目）
ぎょうめ

〈 6 の解説〉
かいせつ

Ｃの部分に理由が書いてある。
ぶぶん りゆう か

〈 7 の解説〉
かいせつ

Ｄは結論を言っている。問題の文章は結論を導く
けつろん い もんだい ぶんしょう けつろん みちび
ための文章である。
ぶんしょう

D indicates the conclusion. The sentence in question is the one which leads to the conclusion.

D 的部分说的是结论。题中的全篇文章都是为了引导至这个结论。

D 는 결론을 말하고 있다 . 문제의 문장은 결론을 내리기 위한 문장이다 .

模擬試験（p.113 ～ 123）

問題 1 （1） p.114

答え

1 3

1 の解説

「エアーフライヤー」という調理器具の特徴を書い
ちょうりきぐ とくちょう か
た文章である。
ぶんしょう

問題 1 （2） p.114

〈翻訳〉
ほんやく

＊ 4 ～ 6 行目
ぎょうめ

もともと未完成のロボットに子供たちが寄ってきて
みかんせい こども よ
助けようとしたのを見た開発者が、この完成度の低
たす み かいはつしゃ かんせいど ひく
さが人の優しさを引き出すのに役に立つと気づいた
ひと やさ ひ だ やく た き
のだという。

The developer, who saw children come up to the yet unfinished robot and try to help it, realized that this low level of completeness would help bring out the kindness in people.

据说，开发者看到孩子们靠近未完成的机器人并试图帮助它时，意识到这种不完整性能够激发人类的善良之心。

원래 미완성 로봇에 아이들이 다가와서 도우려 했던 것을 본 개발자가 이 미완성 로봇이 사람의 온정을 끌어내는 데 도움이 된다는 것을 깨달았다고 한다 .

答え

2 1

2 の解説

結果的に子供たちの関心を集めたり、高齢者の話し
けっかてき こども かんしん あつ こうれいしゃ はな
相手をしたり、ロボットへのイメージも変わるかも
あいて か
しれないが、目的ではない。
もくてき

As a result, it may attract the interest of children, talk to the elderly, and change their image of robots, but that is not the objective.

尽管这可能会吸引孩子们的兴趣，或者成为老年人的交谈伙伴，并且也可能改变人们对机器人的看法，但这并非目的所在。

結果的に아이들의관심을끌거나노인들의말벗이되고,

로봇에대한이미지도바뀔수있지만,그것이목적은아니다.

問題 1 （3） p.115

〈翻訳〉
＊本文の４行目
今回限りのイベントになるかもしれません
this may be a one-off event　可能只是一次性的活动
이번이마지막이벤트가될지도모릅니다

答え
3　1

3 の解説
このメールだけだと、返事をまだ出していない人の理由はわからない。

問題 1 （4） p.115

〈翻訳〉
＊３〜５行目
黄砂には鉄がふくまれていて、その鉄が海に運ばれると、海の生き物のえさになる植物プランクトンの生育を助ける働きをするため、海が豊かになるのだそうです。

Yellow sand contains iron which, when transported to the ocean, helps the growth of phytoplankton that is food for marine life, thus enriching the ocean.

黄沙中含有铁元素，当这些铁元素被运输到海洋中时，它们能够促进海洋植物浮游生物（即海洋生物的食物）的生长，进而使海洋变得更加丰富。

황사에는철분이포함되어있는데,이철분이바다로운반되면바다생물의먹이가되는식물성플랑크톤의성장을돕는역할을하므로바다가풍족해진다고합니다.

答え
4　4

4 の解説
３はこの文章の中に書かれていない。

問題 2 （1） p.116

〈翻訳〉
＊８〜９行目
ライヤは、プライベートな領域に深く立ち入るこの失礼な質問が許せなかったという。

Raiya said she could not tolerate this rude question that went so deeply into her private sphere.

莱娅对这个侵犯个人隐私的失礼问题感到难以容忍。

라이야는사적인영역에깊숙이파고드는이무례한질문을용납할수없었다고한다.

＊13〜14行目
本当に好奇心の裏づけがあって、「どこへ行くのか」つきとめたいと思う人は、あまりいない。

Not many people are truly curious and want to find out “where they are going”.

即使是有好奇心的人，也很少会真的想要弄清楚“你要去哪里”这件事。

정말호기심이발동하여‘어디로가는지’밝혀내고싶어하는사람은많지않다.

答え
5　3　　6　2

5 の解説
12〜13行目「「サヨウナラ」と言われたら……「ちょっとそこまで」と言えばいい。」と書いてある。

6 の解説
３〜４行目「いくら……使えない。」と書いてある。

問題 2 （2） p.117

〈翻訳〉
＊13〜15行目
「おすすめする」という範囲内にとどめるのは問題ありませんが、強制するのは憲法の基本的人権の侵害にあたります。

There is no problem to keep it within the scope of “recommended,” but enforcing it would be a violation of fundamental human rights under the Constitution.

如果是停留在"推荐"的范围内是没有任何问题的，但是强制干涉则会涉及侵犯宪法的基本人权。

'권장한다' 는 범위 내에서만 하는 것은 문제가 없지만, 강제하는 것은 헌법의 기본적 인권을 침해하는 행위입니다.

答え

7 1 8 3

7 の解説

3行目（ぎょうめ）の「どちらも任意（にんい）である」ということを、もう一度（いちど）言（い）っている。

8 の解説

筆者（ひっしゃ）がこの文章（ぶんしょう）の中（なか）で言（い）っていることで、引用（いんよう）の本（ほん）のタイトルなどや自分（じぶん）の意見（いけん）などに惑（まど）わされないように。

This is what the author says in this text. Don't be misled by the title of the books that are quoted or the author's own opinion.

这是作者在本文中所说的内容、请不要被引用书籍的标题以及个人观点等所迷惑。

필자가 이 글을 통해 말하는 것입니다. 인용한 책 제목이나 자신의 의견 등에 현혹되지 마시기 바랍니다.

問題3　p.118～119

〈翻訳（ほんやく）〉

＊Ａの本文（ほんぶん）の4～5行目（ぎょうめ）

ガソリンスタンドのセルフ式の機械（きかい）は、「危険物（きけんぶつ）取（あつか）り扱（あつか）い」の資格（しかく）を持（も）った人（ひと）がボタンを押（お）さないとガソリンが出（で）ないのだという。

The self-service machines at gas stations do not dispense gasoline unless a person with a "hazardous materials handling" certification presses a button.

除非由持有"危险品处理"资格的人按下出油按钮，不然加油站的自助加油机不会流出汽油。

주유소의 셀프 주유기는 '위험물 취급' 자격증을 가진 사람이 버튼을 눌러야 휘발유가 나온다고 한다.

＊Ｂの本文（ほんぶん）の6～7行目（ぎょうめ）

自分（じぶん）でお金（かね）を機械（きかい）に入（い）れて支払（しはら）いをするのだが、紙幣（へい）を立（た）たせて入（い）れる変（へん）な機械（きかい）だった。

You put money into the machine yourself to pay, but it was a strange machine, as the bills are inserted vertically.

虽说支付方式是由自己将钱放进机器里进行支付，可是这部奇怪的机器需要把纸币竖立着放进去。

직접 돈을 기계에 넣어서 결제하는데, 지폐를 세워서 넣어야 하는 이상한 기계였다.

答え

9 2 10 4

9 の解説

資格（しかく）についての説明（せつめい）はＡのガソリンスタンドの場合（ば あい）だけ。

10 の解説

セルフレジの導入（どうにゅう）についてＡは不安（ふあん）に思（おも）っていて、Ｂは導入（どうにゅう）すること自体（じたい）には反対（はんたい）していない。

A is anxious about the introduction of the self-checkout system, and B is not opposed to the introduction itself.

A 对于引入自助结账系统感到不安，但 B 并不反对引入这种系统。

A 는 셀프 계산대 도입에 대해 불안해하고, B 는 도입 자체를 반대하지는 않는다.

問題4　p.120～121

〈翻訳（ほんやく）〉

＊本文（ほんぶん）の1～2行目（ぎょうめ）

さぼる人（ひと）がいると、他人（たにん）に負担（ふたん）がかかり、他人（たにん）の人権（けん）をおかすことになります

When someone slacks off, it puts a burden on others and violates their human rights.

如果有人偷懒，就会给他人增加负担，这会造成对他人人权的侵犯。

누군가가 게을리하면 다른 사람에게 부담을 주고, 다른 사람의 인권을 침해하게 됩니다.

＊本文の 23 ～ 25 行目

人間は、一つの考えを持つと、その考えにこりかたまりやすいので、それをほぐすためには、違う考えの人間がいたほうがよい。

When a person has one idea, they tend to become entrenched in that idea, and it is better to have people who think differently in order to loosen them up.

人类一旦形成了一种固有想法，就容易固守这种思想，为了打破这种固执，最好有持有不同思想的人存在。

인간은 한 가지 생각을 하면 그 생각에 갇히기 쉽기 때문에 이를 풀기 위해서는 다른 생각을 가진 사람이 있는 것이 좋다.

答え

11 3   12 1   13 4

11 の解説

何回も出てくることばに注意しよう。

12 の解説

「かかえこむ」というのは、4番の「取り入れる」こととは違う。

13 の解説

自分の考えと違う人を許せないと思うのはよくあることだが、筆者はそれを「仕方がないことだ」とは言っていない。

It is common for people to not tolerate those who think differently than themselves, but the author does not say that it is something that cannot be helped.

人们无法容忍持有与自己不同观点的人，这种想法很常见，但作者并没有说这是"无可奈何的事情"。

자기 생각과 다른 사람을 용납할 수 없다고 생각하는 것은 흔한 일이지만, 필자는 그것을 '어쩔 수 없는 일' 이라고 말하지 않는다.

問題5   p.122 ～ 123

〈翻訳〉

＊同行者事由の場合もご自身のキャンセル料の70％を補償します。

70% of your own cancellation fee will be compensated even in the case of cancellation for reasons due to an accompanying person.

即使是因同行者而无法成行，我们也会补偿您 70% 的取消费用。

동행자의 사유인 경우에도 본인 취소 수수료의 70% 를 보상해 드립니다.

＊この保険はご負担いただく航空券や旅行代金のキャンセル料の70％を補償する保険です

This insurance covers 70% of the airfare or travel cancellation fee you are responsible for.

这是一种用于补偿您支付的机票或旅行费用中 70% 的取消费用的保险

이 보험은 항공권 및 여행 대금 취소 수수료의 70% 를 보상하는 보험입니다.

答え

14 4   15 2

14 の解説

p.123 の下の表をよく見よう。

15 の解説

この保険に入ると、キャンセルの理由が同行者の病気であっても、キャンセル料の70％が支払われる。

If you take out this insurance, 70% of the cancellation fee will be paid even if the reason for cancellation is due to the illness of an accompanying person.

如果您购买了这份保险，即便取消的原因是因为同行者生病，您也能够获得 70% 的取消费用赔偿。

이 보험에 가입하면 취소 사유가 동행자의 질병인 경우에도 취소 수수료의 70% 를 보상받을 수 있다.